DE 'NIEUWKIJKERS' VAN EL REMATE

D0784406

De 'nieuwkijkers' van El Remate

Vrouwen en soaps in de Guatemalteekse jungle

Janneke Verheijen

Het Spinhuis
2005

ISBN 90 5589 249 1

© 2005, Het Spinhuis, Amsterdam
Niets van deze uitgave mag worden vermenigvuldigd en/of openbaar gemaakt door middel van druk, fotokopie of op welke andere wijze dan ook,
zonder voorafgaande schriftelijke toestemming van de uitgever.

Ontwerp omslag: Jos Hendrix
Binnenwerk: Fito Prepublishing, Almere

Uitgeverij Het Spinhuis, Oudezijds Achterburgwal 185, 1012 DK Amsterdam

Inhoudsopgave

1. Weerzien

"Mijn moeder laat vragen of je vanavond bij ons telenovelas komt kijken", zegt een Guatemalteeks jongetje me. Op dat moment neem ik mijn besluit. Niet meer verder reizen, op zoek naar een geschikt dorp, hier gaat het gebeuren. Hier en nu.

Hier is El Remate, een dorp aan de oevers van een heldergroen meer in de jungle van Guatemala. De 1300 inwoners leven in simpele hutten en huisjes verspreid langs de oever van het meer, langs de geasfalteerde weg en dieper de jungle in. De huizen zijn van takken en planken, met daken van palmbladeren en hier en daar golfplaat. Er lopen paarden, varkens en kippen over straat. In het meer staan vrouwen hun was te schrobben.

Vier jaar geleden kwam er in dit dorp elektriciteit. De bewoners noemen het 'la luz', ofwel 'het licht'. In elk huisje en keukentje bungelt nu een lichtpeertje, dat beduidend meer licht geeft dan de kaarsen die voorheen gebruikt werden en dat niet door de wind kan worden uitgeblazen. De elektriciteit bracht echter meer dan licht.

De elektriciteit bracht de dorpsbewoners televisie en de televisie bracht beelden van werelden ver buiten het dorp. In El Remate brengt de televisie voornamelijk *telenovelas*, de Latijns-Amerikaanse versie van soapseries. Elke avond, en zo mogelijk ook overdag, kijken de dorpsbewoners nu graag naar de vele telenovelas, die een heel ander leven tonen dan dat waar zij bekend mee zijn, namelijk het rijke, moderne stadsleven.

Niet alleen in El Remate, maar overal ter wereld krijgen steeds meer mensen toegang tot en raken ze geïntrigeerd door het wonderlijke apparaat dat hun verhalen en beelden uit andere werelden brengt. Hoewel geen enkele gemeenschap ter wereld volledig geïso-

leerd is gebleven, onaangeraakt door economische, politieke of culturele invloeden van buitenaf, is het goed voor te stellen dat de komst van televisie, als vermeend 'venster op de wereld', een grote impact kan hebben op het leven van deze 'nieuwkijkers'.

Wat hier volgt, is een beschrijving van het dagelijks leven in één van de vele, vele dorpsgemeenschappen waar televisie haar intrede heeft gedaan.

Ik was al eerder in El Remate geweest. Hier had ik een vriendin geholpen met het beheren van een klein ecotoeristisch resort, *El Mirador del Duende*, de meest paradijselijke plek waar ik ooit was geweest. In deze tijd was mijn verwondering ontstaan. Verwondering over de moderne kleurentelevisies in primitieve takkenhutten en verwondering over het enthousiasme waarmee de dorpsvrouwen keken naar hun telenovelas. Zwijgend vroeg ik me af wat deze vrouwen toch moesten denken over het grote verschil tussen hun eigen leven en het leven dat ze op televisie zagen.

Een jaar later keerde ik terug naar Centraal-Amerika, om op zoek te gaan naar een antwoord op mijn vraag. Ik was van plan de eerste paar dagen in El Remate door te brengen. Om de mensen te begroeten, de *Mirador* weer te zien en daarna te vertrekken, op naar een nieuw avontuur. Terug in El Remate werd ik echter zo hartelijk begroet door de verschillende dorpsbewoners, dat ik over een vertrek begon te twijfelen. *"Daar ben je eindelijk! We zaten al te wachten tot je weer terug zou komen, er is al een jaar voorbijgegaan!"* Eén vrouw beweerde zelfs dat ze een paar nachten eerder had gedroomd dat ik opeens weer verscheen. Misschien was het toch wel heel stom om geen gebruik te maken van zo'n bekendheid met en in een gemeenschap. Toen ik iedereen begroet had die ik wilde begroeten, zat mijn eigenlijke taak in El Remate er op. Zal ik nu inderdaad weggaan? En waarheen dan? Op dat moment van twijfel nodigde Mercedes mij uit, zonder iets te weten van mijn vraag, om die avond bij haar telenovelas te komen kijken. Dat gaf de doorslag. Een teken van het leven dat ik op de juiste plek was. Ik bleef.

Ik trok in bij de vriendin en overbuurvrouw van Eliza, een vrouw die eerder bij ons in het resort had gewerkt. Deze overbuurvrouw, Gaya, had net met haar man een klein onderkomen op hun terrein gebouwd om aan toeristen te verhuren. De accommodatie was werkelijk erg simpel, maar wel ruim en open. Er stonden twee grote tafels waaraan ik kon schrijven. De douche was buiten, omringd door drie doeken, gespannen tussen wat stokken. Toen ik voor het eerst kwam kijken naar Gaya's huisje, was ik als proef even op de plek van de douche gaan staan. De doeken kwamen tot halverwege mijn buik. Toen ik later die dag terugkwam, zaten Gaya en Eliza samen opengeknipte vuilniszakken onder de lappen te naaien, zodat deze langer werden en mij tot mijn nek zouden verhullen als ik wilde douchen.

Het huis van Gaya en haar gezin stond een klein stukje verderop. De muren waren van planken, takken, kalk en plastic zeil, als dak lagen er golfplaten. Naast het huisje bevond zich een keukentje met halfhoge muur en een houtoven om op te koken. In een hoek van het terreintje bevond zich de wc: een betonnen pot boven een diep gat, met een doorzichtig roze gordijn ervoor.

Zittend in de schaduw constateerden Gaya en ik die middag dat we allebei 24 jaar waren, zij precies een dag ouder dan ik. Samen verwonderden we ons over het grote verschil tussen onze levens: ik student en alleen 'op reis', zij moeder van vier kinderen.

Al tijdens dit eerste gesprek vertelde Gaya dat ze niet gelukkig was met haar man. Hij is een boze man, behandelt haar als een slaaf en geeft haar bijna nooit geld, klaagde ze. Elke ochtend en avond moet ze zijn voeten masseren, ging ze verder, "*zo saaaaai*". Meestal is hij er niet, vertelde ze echter ook. Salvador vertrekt vaak al voor het ontbijt naar zijn werk en komt pas om een uur of acht, negen 's avonds weer thuis. Tenzij hij een dag geen zin heeft om te werken, dan blijft hij de hele dag in de hangmat in de keuken liggen, jointjes roken. Vroeger was hij bijna dagelijks dronken, maar daar had een genezer hem van afgeholpen. Nu was hij echter verslaafd geraakt aan *crack*, die hij in het dorp verderop kon kopen. Ook de dagen waarop Salvador niet aanwezig is, blijft Gaya afhankelijk van zijn wil. Als zij weg wil, bijvoorbeeld naar haar familie een dorp verderop, moet ze

zijn toestemming hebben. Zoals veel mannen heeft Salvador liever niet dat zijn vrouw zich te veel 'op straat' begeeft en regelmatig krijgt Gaya zijn toestemming niet.

Na ons eerste gesprek volgden er nog vele. Regelmatig at ik samen met Gaya en haar kinderen in haar buitenkeuken een bordje bonen met tortilla's. En vaak keken we 's avonds na het eten in haar huisje naar haar favoriete telenovelas. Ook door andere vrouwen uit het dorp werd ik al snel uitgenodigd te komen eten, mee hout te gaan sprokkelen, mee naar bruiloften, diploma-uitreikingen en zelfs begrafenissen te gaan, ergens te gaan zwemmen, wat te fietsen, kokosmelk te gaan drinken, gewoon wat te praten of televisie te komen kijken.

Ik heb de vrouwen aanvankelijk oprecht willen vertellen wat ik in hun dorp kwam doen. Maar de boodschap dat ik onderzoek wilde doen naar hun dagelijkse leven leek absoluut niet over te komen. Na een paar dagen heb ik het maar zo gelaten. Niemand leek een verklaring voor mijn terugkeer naar het dorp te verwachten en eigenlijk was dat ook wel zo gemakkelijk. Als ik te formeel was gaan doen over 'onderzoek' of mijn interesse in de televisie had laten blijken, was deze uit zijn verband gerukt en was het zicht op de werkelijke rol en mate van aanwezigheid van tv in het dagelijkse leven wellicht verstoord geraakt.

Mijn specifieke focus op vrouwen was een praktische keuze. Als vrouw lag dit nu eenmaal het meest voor de hand. De vrouwen zochten mij op en namen mij op in hun midden. Zoals later in dit boek zal blijken, heeft men in El Remate erg veel moeite om te geloven dat een platonische omgang tussen mannen en vrouwen mogelijk is. Ik vermeed meestal liever te intensief contact met de andere sekse, om vervelende situaties te voorkomen. Verder waren mannen overdag veelal aan het werk of in de kroeg en daarom voor mij moeilijker aanspreekbaar. De vrouwen zijn daarentegen meer aan huis gebonden en hadden meer tijd voor mij, maar ook voor televisiekijken. Televisie speelt een grotere rol in het dagelijkse leven van de vrouwen dan van de mannen, wat een focus op vrouwen ook deels rechtvaardigt.

2. De Horizon van El Remate

El Remate ligt in de dunbevolkte jungleprovincie El Petèn, die ongeveer een derde van Guatemala beslaat en bijna even groot is als Nederland. Overblijfselen van grote tempelcomplexen, nu grotendeels overwoekerd door jungle, staan verspreid over het hele gebied en getuigen van een hoogontwikkelde bevolking die hier ooit eeuwenlang leefde. El Remate ligt niet ver onder het voormalige epicentrum van de Mayacultuur, Tikal, één van de eerste en grootste Mayasteden. Hier moeten in de hoogtijdagen, van 500 tot 870 na Christus, zo'n 50.000 indianen hebben geleefd.

Toen de Spanjaarden in 1523 Guatemala binnentrokken, was El Petèn echter verlaten gebied. Waarschijnlijk had een combinatie van overbevolking, onderdrukking, droogtes en ziekten geleid tot grootschalige sterfte en chaos. De overgebleven Maya's leefden teruggetrokken in kleine nederzettingen in de hooglanden rondom het voormalig dichtbevolkte junglegebied. Zonder veel moeite werden zij door de goed bewapende Spanjaarden afgeslacht, naar de minst vruchtbare gebieden verjaagd of tot dwangarbeid gedwongen. De huidige bevolking van Centraal-Amerika bestaat voor een groot deel uit *Ladino's*, nazaten van Mayavrouwen verkracht door hun Spaanse overheersers.

El Petèn bleef lange tijd onbewoond. Pas zo'n vijftig jaar geleden trokken de eerste *Ladino*-families naar dit moeilijk begaanbare junglegebied, op zoek naar land. De oudere generatie van El Remate weet nog te vertellen over de tijd dat het hier 'nog helemaal woud was, met glibberige modderpaadjes die de paar huizen met elkaar en het meer verbonden'.

Hoewel er niet vaak over gesproken wordt, weten veel bewoners van El Remate ook nog te vertellen over de bommenwerpers die in de jaren tachtig over het dorp vlogen, op zoek naar kampen van guerrilla's dieper in het oerwoud. Over de militaire colonnes die onheilspellend door het dorp trokken. De mannen die 's nachts van hun bed werden gelicht en onder ogen van hun familieleden gemarteld. De nachten die verstopt onder de bosjes werden doorgebracht uit angst voor het geweld van zowel het leger als de guerrillabeweging. De moorden op de velden buiten het dorp.

In Guatemala heeft 36 jaar lang een burgeroorlog gewoed voor er in 1996 een staakt-het-vuren werd getekend door de guerrillabeweging en het leger. Sindsdien zijn er weliswaar vrije verkiezingen, maar de bewoners van El Remate zijn weinig enthousiast over hun nieuwe regeringen. Niet onterecht, want Guatemala is één van de armste landen ter wereld, met een schrijnend groot verschil tussen een kleine, enorm rijke elite en driekwart van de bevolking die onder de officiële armoedegrens leeft. Tijdens mijn verblijf in El Remate verscheen er een even schokkend als illustrerend bericht in de kranten. De Guatemalteekse President Portillo bleek een horloge te hebben gekocht met een grotere waarde dan zijn gehele officiële jaarloon. 'Het was niet de bedoeling dat dit openbaar werd', verontschuldigde de man zich, waarna hij het horloge maar weer verkocht.

Gaya

Gaya's moeder was veertien toen ze voor een fles sterke drank werd uitgehuwelijkt aan een vriend van de familie. Deze oudere man nam zijn bruid vanuit de hooglanden mee naar El Petèn, waar hij een handel begon in *xate*. Xate groeit alleen in de jungle van El Petèn en het aangrenzende Chiapas, Mexico. Er is veel vraag naar de bladeren, vanuit Europa om bloemstukken te sieren, en vanuit de Verenigde Staten, waar de plant volgens de *Petèneros* dient als ingrediënt voor de verf van dollarbiljetten. Gaya groeide met haar broers en zussen op in Caoba, een dorp enkele kilometers ten noorden van El Remate.

Omdat er in Caoba geen watervoorziening was, kwamen de vrouwen uit dit dorp vaak naar El Remate om hier aan de oevers van het meer hun was te doen. Tijdens deze uitstapjes leerde Gaya haar huidige man Salvador kennen. Zij was veertien en hij achttien toen Gaya zwanger bleek te zijn. Op een stukje land dat hij van zijn oma had geërfd, begon Salvador opgetogen aan de bouw van wat nog steeds hun huis is.

Een gemiddelde dag van Gaya begint om een uur of zes 's ochtends, wanneer haar jongste zoontje van drie jaar wakker wordt. Ze stappen hun huisje uit, de andere kinderen worden ook wakker, net als de honden, de kippen en de buren. Gaya's oudste dochter van negen wordt met een bakje gekookte maïs naar de publieke maïsmolen gestuurd, waar het met water tot maïsdeeg wordt gemalen. Hier maakt Gaya tortilla's voor het ontbijt van. Het maïsdeeg kan buiten een koelkast niet lang bewaard worden en aangezien bijna niemand over een koelkast beschikt, moet er voor elke maaltijd vers deeg worden gemalen. Gaya maakt een vuur aan onder haar kookplaat en zet water op voor een grote pan koffie waar nog de hele dag uit gedronken zal worden. De kinderen drinken net zo veel koffie als volwassenen, zelfs de jongste krijgt het in zijn flesje. Verder heeft Gaya, net als elk huishouden in El Remate, constant een pot bonen op het vuur staan pruttelen. Deze bonen vormen het hoofdbestanddeel van de meeste maaltijden. Een gewoon ontbijt bestaat uit de restjes van de vorige avondmaaltijd of uit bonen met tortilla's. Bij een luxer ont-

bijt, wanneer er wat geld is, worden eieren of soms zelfs vlees toegevoegd. Altijd vergezeld van een kop koffie met veel suiker.

Na het ontbijt veegt Gaya haar terrein. In tegenstelling tot veel anderen heeft zij hier geen varkens lopen, want dat vindt ze maar vieze beesten. Er lopen wel een paar kippen, om ooit op te eten, en een waakhond. Eens in de paar dagen moet Gaya een enorme berg kleding wassen. Zowel zij als haar man en kinderen kleden zich per dag vaak twee keer om, omdat door zweet, eten en modder alle kleding snel vies wordt en iedereen er toch netjes uit wil zien. Op zo'n wasdag is Gaya dan ook vaak de hele dag bezig om met de hand al die kleding te boenen. Daarna moet al de gewassen kleding opgehangen worden en als het droog is afgehaald en opgevouwen.

Rond twaalf uur 's middags moet er weer voor hout worden gezorgd om vuur voor de lunch te maken. De meeste vrouwen gaan eens in de paar dagen zelf de jungle in om hout te sprokkelen. Maar voor Gaya met haar vier jonge kinderen is dat lastig, ze koopt liever wat bij anderen. Wederom moet er voor maïsdeeg en tortilla's worden gezorgd. Vaak bestaat de maaltijd weer uit bonen, een enkele keer met ei, kaas of worstjes. Heel sporadisch is er rijst. Er gaan soms wat uien, tomaten of aardappelen door een gerecht, maar voor meer groente hebben de vrouwen hun weinige geld vaak niet over. In de miniwinkeltjes van het dorp is meestal ook niet meer te krijgen

dan dat. Groenten worden, net als fruit, niet als belangrijk voedings-element beschouwd. Het vult de maag niet goed en is het geld dus niet waard. Liever besteden de vrouwen de paar *quetzal* die ze hebben aan 'echt' ofwel vullend voedsel zoals bonen of vlees.

Gaya's man heeft een klein en onregelmatig inkomen. Hij werkt als enige werknemer in een klein hotel langs het meer. Door negatieve verhalen over Guatemala in het algemeen en El Remate in het bijzonder is het toerisme hier de laatste tijd erg teruggelopen. Salvador heeft nu geen vast loon meer, maar krijgt een deel van de opbrengsten van het hotel, wat vaak erg weinig is. Een groot deel van het geld dat hij ontvangt, gaat op aan drugs, met name *crack* en wiet. Gaya moet dus regelmatig op andere manieren aan wat geld zien te komen om eten te kunnen kopen. Soms gaat ze bij andere vrouwen langs met tweedehands kleding of ondergoed dat ze in de stad heeft gekocht en nu tegen een kleine meerprijs in El Remate probeert te verkopen. Voor deze handel in kleding is echter een startbedrag nodig om de kleding op de markt in te kopen en dat is er meestal niet. Gaya repareert daarom ook gaten in kleding voor een paar *quetzal*, of wast kleding voor anderen.

Soms gaat Gaya overdag op bezoek bij familie in El Remate of Caoba, soms komen er vrouwen bij haar langs om wat te vertellen of vragen. Als Gaya heeft laten horen dat ze wat kleding te koop heeft, komen er altijd wel een paar vrouwen gulzig kijken en passen. Net zo gulzig houdt Gaya dan lijstjes bij wie voor welk bedrag wat heeft gekocht en hoeveel er al is afbetaald. Af en toe, als ze tijd heeft, kijkt Gaya 's middags een telenovela. Elke dag verloopt anders, weinig dingen worden gepland, alles loopt gewoon zoals het loopt.

's Avonds is Gaya moe. Vanaf zes uur is het donker en voelt de dag ten einde, er valt weinig meer te doen. Ze heeft de hele dag haar vier kinderen om haar heen gehad, drie keer voor hout, vuur en voedsel moeten zorgen en het huishouden – zonder behulpzame apparaten – moeten doen. Enkele jaren geleden, toen El Remate werd aangesloten op het elektriciteitsnet en Salvador nog een vast inkomen had, kon het gezin zich, weliswaar op afbetaling, een kleine televisie veroorloven. Praktisch elke avond kijken Gaya en haar kinderen nu televisie. Het huisje bestaat uit één ruimte en de kinderen zitten of liggen op een willekeurig bed, kijken tv en vallen op een gegeven moment in slaap. Gaya geniet van 'haar' telenovelas, maar doezelt na een tijdje zelf ook vaak weg. Als Salvador thuiskomt, staat Gaya op, ook als ze al in slaap is gevallen, om hem eten en koffie aan te bieden, zoals dat hoort. Als ze pech heeft, wil hij met haar praten, of ruziën, of vrijen en moet ze nog uren wakker blijven. De volgende dag begint echter altijd weer vroeg.

Eliza

Niet ver van Gaya woont Eliza. Ze is 26 jaar en leeft met haar twee kinderen in en om een klein huis dat net groot genoeg is om haar bed en een ledikantje te herbergen. Tot een jaar geleden woonde ze met haar kinderen bij haar moeder in huis, maar die werd dit te veel. Eliza stapte naar de burgemeester van het dorp met de vraag of zij een braakliggend stukje helling mocht hebben. De burgemeester stemde toe en Eliza begon het terrein aan de rand van het dorp schoon te maken. Eigenhandig bouwde ze er het huisje van latten, takken en een golfplaten dak. Naast het huisje kwam een vuurplaat op poten te staan en een zeil erboven maakte dit geheel tot haar 'keuken'. Op haar kleine terrein lopen kippen, een hond, twee grote en enkele kleine varkens rond. Deze varkens hebben letterlijk de functie van spaarvarken. De aanschaf is een investering, net als de maandenlange voeding van etensresten en maïs. Mocht de eigenaar echter opeens veel geld nodig hebben, bijvoorbeeld wanneer een familielid ernstig ziek is, dan wordt het beest geslacht en kunnen het vlees, het vet en de huid wel het driedubbele van de oorspronkelijke aankoopsom opbrengen.

Tot voorkort was Eliza alleenstaand moeder geweest, maar tijdens mijn verblijf in El Remate trouwt zij, hoogzwanger, met Alberto, een wat oudere, verantwoordelijke man. Nu hoeft Eliza niet meer op allerlei manieren te proberen aan geld te komen voor eten, want daar zal haar man voortaan voor zorgen. Ze moet nu wel elke dag voor zonsopgang op om vuur te stoken om verse tortilla's voor haar man te maken voor hij naar zijn, tijdelijke, werk vertrekt. Daarna maakt ze

ontbijt voor haar en de kinderen, veegt ze haar terreintje, voedert ze de kippen en varkens, zorgt ze voor eten en wast ze af.

Eliza verlaat haar terreintje weinig, zeker nu ze een man heeft die, net als de meeste andere mannen, liever niet ziet dat ze 'de straat op gaat'. Eens in de paar dagen gaat ze naar het meer met een berg wasgoed, om deze hier met de hand schoon te boenen. Tot voorkort stond ze vaak hele dagen tot haar knieën in het water om ook voor anderen te wassen en zo wat geld te verdienen. Op andere dagen moet ze hout sprokkelen. Ook dat is een hele onderneming. Met haar zwangere buik en twee kleine kinderen klimt Eliza de berg op, de jungle in. De kinderen hebben grote T-shirts aangekregen om hen te beschermen tegen de vele muggen in de jungle. Eliza stapt flink door, op zoek naar stevige, droge takken. Wanneer ze wat vindt, slaat ze de tak met krachtige slagen in stukken met haar machete. Na een paar uur verzamelt ze de stukken hout en maakt er twee bundels van. Een grote voor op haar eigen hoofd en een kleinere voor op het hoofd van haar zesjarige dochter Carlota. Voorzichtig beginnen ze dan weer aan de afdaling. Haar jongste zoon van twee drentelt er achteraan, regelmatig moet Eliza zich omdraaien om hem tot doorlopen te manen. Nu heeft ze genoeg hout om een paar dagen op te koken, daarna gaat ze weer terug de jungle in voor een nieuwe voorraad.

Eliza heeft een klein aantal andere huishoudens waar ze soms

even op bezoek gaat. Haar oom en tante die verderop wonen, haar moeder met haar man en kinderen, de stiefoma waar ze als kind opgroeide. Ook bij Gaya gaat ze af en toe langs, al is dat minder nu ze een man heeft. 's Avonds gaat Eliza met haar man en kinderen meestal naar het huisje van Eliza's moeder om daar televisie te kijken. Zelf is Eliza niet in staat geweest een televisie aan te schaffen, al zou ze dat wel graag willen. De televisie in haar moeders huisje is gekocht door één van Eliza's werkende halfbroers. Hier kijkt het gezin naar 'Perla', zoals zij de populaire telenovela *"Las Vias del Amor"* noemen, naar de hoofdrolspeelster van de serie. Wanneer Eliza zich overdag te erg verveelt, gaat ze ook naar haar moeders huis om televisie te kijken, vertelt ze.

Mercedes

Mercedes, 32 jaar, woont aan de andere kant van het dorp op een stukje land dat haar vader tussen haar en haar broers heeft verdeeld. Hier bewoont ze met haar vier kinderen het huisje dat haar ex-man heeft gebouwd voor hij het gezin verliet voor een andere vrouw.

Vroeger begon Mercedes de dag altijd met water halen uit het meer vlak bij haar huis. Sinds een jaar hoeft dit echter niet meer, omdat er een waterleidingsysteem is aangelegd dat het dorp van stromend water uit het meer voorziet. Voor deze aanleg hadden alle huishoudens in het dorp om beurten een werkkracht geleverd. Ook Mercedes brengt haar dagen voornamelijk door met het uitvoeren van huishoudelijke taken. Vegen, wassen, koken, hout sprokkelen. Dit laatste doet ze vaak samen met één van de schoonzussen die naast haar wonen en alle op dat moment aanwezige kinderen. Soms gaat ze bij haar ouders op bezoek die niet ver van haar vandaan wonen. Heel soms gaat ze met haar huidige man Reginaldo met de bus naar de kleine provinciehoofdstad Santa Elena om daar op de markt levensmiddelen te kopen. Op de markt in de stad is alles namelijk iets goedkoper dan in de miniwinkeltjes in El Remate, die zelf ook hun waar op de markt inkopen. Meestal is er echter niet genoeg geld om de busreis te betalen en in één keer veel in te kunnen slaan.

Mercedes klaagt dat Reginaldo's loon te vaak op gaat aan drank.

Het geld dat hij inbrengt is dan niet toereikend om haar vier kinderen van genoeg voedsel, kleding en schoolspullen te voorzien. Reginaldo wil echter niet dat zijn vrouw 'de straat op gaat' om te werken. Het is zijn eer te na dat zijn vrouw voor inkomen moet zorgen.

Zoals veel vrouwen heeft Mercedes de basisschool niet mogen afmaken van haar ouders. Dat had volgens hen geen enkel nut voor een meisje, want die hoeven alleen het huishouden te kunnen doen. Verbitterd zegt Mercedes dat al haar broers de basisschool wel hebben afgemaakt. Behalve de jongste, die had er geen zin in. Tegenwoordig geldt er in Guatemala officieel leerplicht voor jongens én meisjes. Zowel de groep kinderen die naar de basisschool gaat als de groep jongeren die een vervolgopleiding doet, is hierdoor de laatste jaren flink toegenomen. Toch is er ook nog steeds een redelijk groot aantal kinderen dat geen onderwijs volgt. Omdat hun ouders het nut er niet van inzien, geen geld over hebben voor het verplichte uniform en/of de arbeid van hun kind nodig hebben om te overleven. Het is in El Remate nog zeker geen gewoonte dat elk kind elke dag naar school gaat en huiswerk maakt. Als het even niet uitkomt, gaat een kind een dagje niet naar school, wanneer het bijvoorbeeld één van de ouders moet helpen, of het ontbijt te laat klaar is. Het komt regelmatig voor dat een kind een klas moet overdoen. Mercedes vertelt dat er soms wel controles worden uitgevoerd door overheidsinstanties. Als deze zien dat een bepaald meisje nooit naar school gaat, praten zij met haar ouders en regelen eventueel financiële steun.

De vier kinderen van Mercedes gaan allemaal naar school. Haar oudste dochter, Rosa van vijftien, volgt zoals meer meisjes van haar leeftijd '*primario*', de driejarige vervolgopleiding na de basisschool. Hier worden doorzettende en door hun ouders financieel gesteunde jongeren opgeleid tot boekhouder en soortgelijke administratieve functies. Hoewel meer dan de helft van de Guatemalteekse bevolking (62%) in dorpjes als El Remate woont, komt slecht 1,8% van alle studenten die een vervolgopleiding volgen uit deze rurale gebieden. Mercedes zou graag zien dat haar dochter met computers leert werken, want daarin ligt de toekomst, meent ze. Maar het schuchtere meisje wil niet. '*Ik heb de kans nooit gehad*', zegt Mercedes teleurgesteld.

'Ik ben hier altijd'

Een beetje meelijwekkend zeiden de vrouwen in El Remate soms tegen me: '*Je kunt altijd langskomen, ik ben hier altijd, ik verlaat mijn huis bijna nooit ...*' Er is dan ook genoeg te doen in en om de huisjes, de voortdurend terugkerende huishoudelijke taken van de vrouwen kosten hun veel tijd. Staat er bijvoorbeeld eens kip op het menu, dan moest deze eerst gevangen worden, dan geslacht, geplukt, leeggehaald, met zeep gewassen en uiteindelijk geruime tijd gekookt of gebraden.

Toch is het niet zo dat de vrouwen, zoals ze zelf vaak beweren, hun terrein nooit verlaten. Er moet wat gekocht worden bij een miniwinkeltje verderop, of even ergens iets verteld, gevraagd, gebracht of geleend. De vrouwen leggen wel bezoekjes bij elkaar af, maar elke vrouw lijkt slechts een klein aantal andere huishoudens te hebben

waar ze wel eens langs gaat. '*Alle, alle mannen willen het liefst dat hun vrouwen in het huis blijven*', legde een vrouw me uit. '*Ze willen nou eenmaal de baas zijn*', vervolgde ze.

Onder ideale omstandigheden heeft een vrouw een man die haar en haar kinderen onderhoudt, zodat zij inderdaad niet de straat op hoeft om aan geld te komen. Oorspronkelijk bewerkten de meeste mannen akkers buiten het dorp. Nog steeds hebben veel huishoudens hier een stukje land waar ze bonen en maïs op verbouwen, voornamelijk voor eigen gebruik. Sommigen, met name oudere mannen, leven nog steeds van de verkoop van hun producten. Andere mannen verdienen hun geld als timmerman, huizenbouwer en/of dakenlegger. Het inkomen hiervan is redelijk goed, maar afhankelijk van sporadische opdrachten en dus onregelmatig. Een deel van de mannen verdient zijn geld in het toerisme. Als junglegids, chauffeur, kamerjongen of klusjesman in een hotel of met de verkoop van houtsnijwerk. Landlozen zonder vaste baan of bepaalde bekwaamheid, zoals de man van Eliza, kunnen de jungle in gaan om *xate* te plukken om te verkopen aan handelaren. Eenmaal in de jungle proberen de plukkers vaak ook wild, bijvoorbeeld een gordeldier of hert te schieten, voor eigen gebruik of om door te verkopen.

De werkelijkheid voldoet echter niet altijd aan het ideaalbeeld waarin de man voor genoeg inkomen zorgt en de vrouw thuis kan blijven. Een man heeft geen werk, heeft niet genoeg inkomen, bijvoorbeeld omdat er weinig toeristen zijn, of spendeert een te groot deel van zijn inkomen buitenshuis, voornamelijk aan drank of drugs. Verder komt het geregeld voor dat een vrouw met kinderen geen man heeft, omdat hij is overleden, haar heeft verlaten of nooit verantwoordelijkheid heeft gevoeld voor zijn kinderen. In al deze gevallen is een vrouw met kinderen genoodzaakt zelf voor een (aanvullend) inkomen te zorgen.

Chronisch geldtekort

Veel vrouwen kunnen, willen en/of mogen geen vaste baan buitenshuis hebben en proberen op andere manieren wat geld bij te verdie-

nen. Mijn buurvrouw Valentina, 19 jaar, begon bijvoorbeeld een miniwinkeltje aan huis toen haar man haar en hun twee kleine kinderen
verliet. Gaya had een *hospedaje* op haar terreintje dat ze aan toeristen kon verhuren. Een jaar eerder had ze een paar maanden een klein
restaurantje gehad, dat helaas moest worden opgedoekt omdat Salvador er met al haar winst vandoor ging waardoor er geen nieuwe inkopen konden worden gedaan. Net als veel andere vrouwen verdiende Gaya soms geld door kleding van anderen te herstellen of te
wassen. Het uitbesteden van wasgoed gebeurt voornamelijk wanneer
een vrouw net is bevallen. De eerste veertig dagen na een bevalling
mag een vrouw eigenlijk niets anders dan op bed liggen, ze mag
zelfs niet televisiekijken of lezen omdat men gelooft dat haar ogen
daar nog te zwak voor zijn en er kapot aan zullen gaan. In de praktijk
houden de meeste vrouwen in El Remate zich niet aan de volle veertig dagen, er moet te veel gebeuren in en om het huis. Maar zware

taken als de was worden meestal wel gedurende heel de periode uitbesteed.

Zoals gezegd handelt Gaya soms in tweedehands of nieuwe kleding, net als verschillende andere vrouwen uit het dorp. Gaya gaat dan vaak met specifieke kledingstukken naar bepaalde vrouwen waarvan ze verwacht dat deze hierin geïnteresseerd zullen zijn of buurvrouwen komen bij haar keukentje langs om de nieuwe aanwinsten te bekijken. Met een winst van één *quetzal* (zo'n vijftien eurocent) per kledingstuk is Gaya al blij, want winst is winst. De meeste vrouwen hebben geen of weinig contant geld beschikbaar, veel wordt noodgedwongen op de pof gekocht en zo ook kleding bij Gaya. *"Aan het einde van de maand"*, beloven de kopers dan altijd, want dan zal de man van het huishouden zijn maandelijkse loon ontvangen. Maar ook aan het einde van een maand hebben de kopers vaak weinig geld, omdat hun man het geld zelf verbrast of omdat er andere schulden afbetaald moeten worden. Beetje bij beetje druppelt het geld bij Gaya binnen.

Andere vrouwen gaan de huizen langs met bereid en onbereid voedsel, of sturen hun kinderen om dit te doen. Eliza had van Alberto een fototoestel gekregen dat toeristen hadden laten liggen toen hij nog als kamerjongen werkte. Hiermee maakt ze af en toe tegen betaling foto's van mensen uit het dorp. Op verschillende manie-

ren proberen de vrouwen hun economische situatie dus te verbeteren, al is het meestal met heel kleine bedragen.

Al met al beschikken de vrouwen over weinig geld. Regelmatig zelfs niets. Het is in El Remate echter best te doen om een tijdje zonder geld te leven. Als er maar een grote zak maïs in huis is, dan kunnen er in ieder geval tortilla's worden gemaakt, onmisbaar bij elke maaltijd. Als een vrouw werkelijk niets meer heeft, zal een buurvrouw of familielid haar wat maïs of bonen toeschuiven. Of ze koopt eten op afbetaling. Ieder huishouden heeft wel een miniwinkeltje waar ze een rekening hebben lopen. Aan het eind van de maand moeten deze schulden afgelost worden. Dit betekent dat de meeste huishoudens een nieuwe maand noodgedwongen met weinig geld beginnen.

Heel soms komt er opeens een relatief groot geldbedrag binnen, bijvoorbeeld wanneer een familielid uit de VS vijftig dollar stuurt, een echtgenoot een stuk land heeft verkocht, een grote opdracht krijgt of een jungletour met een groep toeristen heeft geleid. De meeste toeristen vinden tien dollar (75 *quetzal*) per persoon niet veel voor een dagtour door de jungle, inclusief een lunch. Voor de dorpelingen, die gemiddeld zo'n 30 *quetzal* per dag verdienen, betekent een tour met een aantal toeristen echter een uitzonderlijk grote berg geld. De mogelijkheid van zo'n plotseling inkomen maakt de dagen zonder geld minder zorgelijk: als je nu iets niet kunt kopen, dan misschien een andere dag wel.

Het bijna chronische geldtekort van de bewoners van El Remate leidt ertoe dat zij over het algemeen niet meer dan het allernoodzakelijkste kunnen kopen. Op dagelijkse basis zijn een paar *quetzales* nodig om koffie, suiker, maïs, bonen en zeep in huis te hebben. Schoolgaande kinderen zijn een grote kostenpost omdat deze een uniform, zwarte én bruine schoenen, een rugtas, schriften en een toga voor speciale gelegenheden moeten hebben. Een andere vaak terugkerende kostenpost zijn medicijnen, niet zelden voor lichamelijke klachten die het gevolg zijn van eenzijdige voeding. Weinig mensen hebben meer bezittingen dan een geërfd stukje land met een zelfgebouwd huis en wat, deels zelfgemaakte, meubels. Het feit dat ondertussen bijna elk huishouden wel over een eigen televisie beschikt, geeft aan hoe gewild dit apparaat is onder de dorpsbewoners.

"De mensen praten"

In de loop van mijn verblijf scheen het mij toe dat de vrouwen die om mij heen woonden met elkaar een soort gemeenschap vormen. Ze delen allemaal eenzelfde soort leven, ze hebben dezelfde daginvulling, dezelfde soort plichten en zorgen. Ze wonen heel dicht bij elkaar en de huisjes zijn erg open. Elke beweging en elk geluid is te volgen. De vrouwen weten allemaal precies wat er gaande is in het leven van een buurvrouw. Gaya wist altijd te melden hoe laat een buurvrouw de vorige avond was gaan slapen, met hoeveel zakken iemand van de markt was teruggekomen, of er ergens een ruzie was geweest en of er klappen waren gevallen. De vrouwen zien of spreken elkaar voortdurend even: over omheiningen, op straat, in of bij elkaars huisjes. De kinderen lopen de verschillende terreintjes voortdurend op en af. Moeders maken zich geen zorgen als een tweejarig kind een tijd de straat op is. Als ze zich afvraagt waar haar kind is, roept ze gewoon zijn of haar naam. Het kind komt, of een buurvrouw roept terug dat het kind bij haar rondloopt. Mannen zijn in deze gemeenschap een soort buitenstaanders. Ze zijn overdag meestal niet aanwezig (aan het werk of 'op de straat') en als ze er zijn, zijn ze vaak 'lastig'.

Niet alleen vrouwen die vlak bij elkaar wonen vormen een gemeenschap. Het dorp is klein genoeg om iedereen te kennen, niet allemaal persoonlijk, maar op zijn minst te weten van wie iemand familie is. Bij elk gezicht kent men een achtergrond. Bijna iedereen die in El Remate is geboren woont hier nog, men kent elkaar dus van jongs af aan. De dorpsbewoners zijn gewend te leven in een kleine gemeenschap van bekenden.

Echt idyllisch zijn deze 'gemeenschappen' echter niet. Er wordt onderling veel geroddeld en gelogen. Vrouwen passen hun gedrag aan "omdat de mensen praten", ofwel uit angst voor roddels. Eliza vertelde op een ochtend dat haar man die nacht erge buikpijn had ge-

had. Uiteindelijk was Eliza opgestaan om warme melk voor hem te maken. Ze had zich hier erg ongemakkelijk over gevoeld, vertelde ze, en zich benauwd afgevraagd wat de mensen er wel niet van moesten denken dat ze op zo'n nachtelijk uur vuur stond te maken. Ze probeerde zo snel mogelijk met de klus klaar te zijn. Carmin, een jonge moeder van 17 jaar, vertelde dat ze geen anticonceptie gebruikte bij het vrijen (met verschillende mannen) omdat ze vreesde dat de zuster van de gezondheidspost in het dorp "zou praten" als Carmin haar vroeg om de gratis anticonceptiemiddelen. "*Dan weet gelijk iedereen het*", zei ze stellig. De bewegingsvrijheid van de vrouwen wordt danig beperkt door dit controlesysteem waarin elk afwijkend gedrag met argusogen wordt bekeken en besproken.

Omdat de dorpsbewoners elkaar grotendeels kennen, met name degenen die bij elkaar in de buurt wonen, vinden ze het over het algemeen ook erg interessant om te volgen wat er in de verschillende levens gebeurt. Nieuwtjes verspreiden zich onvoorstelbaar snel in El Remate. Zelfs als Gaya haar terreintje nog niet verlaten had, wist haar zus al dat ze weer eens geslagen was. Toen mijn buurman aan zijn vrouw Valentina opbiechtte dat hij ook met een andere vrouw een kind heeft, ontstond er een ruzie waarin Valentina ook weer haar grote frustratie uitte over het feit dat haar man nog steeds maandelijks geld afstond aan zijn moeder waardoor er te weinig geld overbleef voor zijn eigen gezin. Haar man was deze verwijten zat en vertrok. Enkele dagen later kwam hij weer terug, maar vertrok wederom na een ruzie. Alle buurvrouwen volgden vol aandacht dit spannende vervolgverhaal. De ruzies waren letterlijk te horen, de scènes buiten het huisje voor iedereen zichtbaar. Gaya hield me constant op de hoogte van de laatste ontwikkelingen.

Elkaar in de gaten houden en het bespreken van dergelijke spannende of schokkende ontwikkelingen brengt vertier en opwinding in het soms saaie en beperkte leven van de vrouwen. Daarnaast zijn 'derden' meestal een veilig gespreksonderwerp voor de praatjes tussen dorpsbewoners. Zo hoeft er niet te veel verteld te worden over het eigen leven, privé-informatie houdt men liever voor zichzelf. Valentina vertelde mij, toen we een keer samen in haar huisje zaten met de deur dicht, dat haar echte ouders indianen zijn. De *indígenas* zijn in het Guatemalteekse denken inferieur aan de Latino's. Valentina's vader werd in de burgeroorlog vermoord, zij werd erg ziek en haar moeder had geen geld om haar te genezen. Een Latino-dokter beloofde het meisje beter te maken als hij haar mocht houden. Dit adoptiegezin noemde haar 'Zwartje', ze moest het huishouden doen. Later heeft Valentina nog wel eens haar moeder ontmoet, maar ze kon niet met haar praten omdat deze alleen een Maya-taal spreekt. Ik begreep later uit de verhalen van andere vrouwen dat Valentina hen niet heeft verteld over haar achtergrond, maar doet of ze 'gewoon' uit een Latino-familie komt.

Veel vrouwen klaagden over het feit dat "de mensen zoveel praten", maar deden er op andere momenten zelf net zo hard aan mee. Mercedes had op een nacht geschreeuw gehoord uit een buurhuis. Zonder enige gêne vertelde ze me dat ze toen een zwarte handdoek om zich heen had geslagen om zo onopgemerkt te gaan kijken wat er gaande was. De volgende dag vertelde ze ieder die het weten wilde dat de buurman om drie uur 's nachts zijn vrouw had geslagen. Het verbaasde mij dat Mercedes dit nieuwtje zo gretig verspreidde, want zelf werd ze ook geregeld door haar man mishandeld.

Er wordt weliswaar veel geroddeld over 'derden', maar rechtstreeks naar elkaar doet bijna iedereen vriendelijk. Afkeuring wordt meestal alleen achter iemands rug geuit. Binnen een kleine gemeenschap kunnen vijanden elkaar niet makkelijk uit de weg gaan, ze zullen elkaar altijd tegen blijven komen. In dat geval is het wellicht praktischer een schijn van vriendelijkheid, of op zijn minst neutraliteit, op te houden voordat een vete steeds grotere proporties aanneemt en uit de hand loopt. Dit mechanisme wekt echter achterdocht op, want achter elke glimlach kan een roddel schuilgaan. Uiteindelijk lijkt niemand in het dorp elkaar echt te (willen) vertrouwen.

Ter bescherming van de 'privacy' ofwel ter voorkoming van eventuele veroordelende roddels liegen de vrouwen vaak tegen elkaar, of zijn op zijn minst onduidelijk. Het vaste antwoord op de vaak gestelde vraag "*Wat ga je doen?*" is "*Hacer un mandado*", wat zoveel betekent als 'een boodschap overbrengen of doen'. Ik merkte dat ik deze gewoonte na verloop van tijd begon over te nemen. Het is te omslachtig om voortdurend maar uit te leggen wat je allemaal gaat doen en het voelt vervelend om zo in de gaten te worden gehouden. "*Hacer un mandado*" is in zo'n geval een volstrekt geaccepteerd en afdoende antwoord. Wellicht, zo opperde Salvador, zijn het roddelen en wantrouwen nog een overblijfsel van de oorlog, toen was bijna iedereen, al dan niet gedwongen, oren voor de ene of de andere groep.

Juist omdat de vrouwen weinig met elkaar praatten over hun persoonlijke leven, verbaasde het me hoe open ze tegen mij waren. Ik kan slechts gissen naar de oorzaken hiervan. De vrouwen leken allemaal behoefte te hebben om hun verhalen kwijt te kunnen. Ik was in het dorp een buitenstaander, ik had geen specifieke loyaliteit naar bepaalde personen toe en vormde wellicht daarom een neutrale, veilige gesprekspartner. Daarnaast kenden de dorpsbewoners mij al en wisten ze dat ik oorspronkelijk naar hun dorp was gekomen om een vriendin in nood te helpen. Tijdens dat eerste jaar was ook mijn vriend uit Nederland overgekomen. Hij, ooit gevraagd om professioneel bij Excelsior te spelen, werd in El Remate al snel de sterspeler van het lokale voetbalteam. Door zijn toedoen haalde het dorpsteam zowaar de provinciale finales. Elke keer als we samen door het dorp wandelden, riepen mensen hem toe: "*Coche del monte!!* ['junglezwijntje' was zijn bijnaam, om zijn immer warrige kapsel] *Hoeveel ga je er deze week scoren??*" Ik had dus een man, iedereen wist dat en had diep respect voor hem. De vrouwen hoefden niet te vrezen dat ik er met hun man vandoor zou gaan. Wellicht waren de vrouwen hier überhaupt niet erg bang voor: ik had duidelijk genoeg geld om in mijn eigen onderhoud te voorzien, ik had helemaal geen man nodig.

Horizon van de vrouwen

Zoals uit de verschillende beschrijvingen naar voren is gekomen, vormt het dorp, of nog preciezer het eigen huis en de huisjes daaromheen, de directe leefwereld van de vrouwen. Ze hebben in hun dagelijkse leven voornamelijk te maken met hun eigen huishouden en de verschillende buren. Ze begeven zich voornamelijk op hun eigen terreintje en in de directe omgeving daarvan: bij buren, het buurtwinkeltje of de dichtstbijzijnde oever van het meer.

Soms worden er *bailes* [dansfeesten] georganiseerd in naburige dorpen, maar een deel van de bewoners van El Remate is huiverig om daar heen te gaan. Over alle omliggende dorpen heersen namelijk sterke vooroordelen. Men is er in El Remate van overtuigd dat de bewoners van andere dorpen agressief en wild zijn: in Ixlu zijn altijd vechtpartijen en wordt zelfs de politie aangevallen; in Macanché heeft iedereen een pistool en schieten ze zomaar mensen neer enz. Dat er bij elke *baile* in El Remate ook dronken jongens met elkaar op de vuist gingen, werd over het hoofd gezien. Bewoners van andere dorpen hebben op hun beurt een negatief en angstig beeld van El Remate, iedereen zou er bijvoorbeeld aan de drugs zijn.

Het dorp vormt een bekende gemeenschap waarbinnen de vrouwen een plek hebben. Zij kennen iedereen en iedereen kent hen. Dominica, 22 jaar, vertelde dat ze liever niet naar onbekende plekken ging, omdat ze vreesde dat daar enge mensen woonden. Daar zou ze op straat niemand herkennen, ze zou niet weten wie ze kan vertrouwen en wie niet en dat zou haar zenuwachtig maken. Toen er in El Remate een nieuw miniwinkeltje werd geopend, ging het gerucht dat alles daar net iets goedkoper was dan in de andere winkeltjes. De vrouwen met wie ik hierover sprak konden dit echter niet bevestigen. Ze hadden er nog niet heen durven gaan, omdat ze met deze nieuwe eigenaar geen vertrouwensband hebben, zoals ze dat wel hebben met de mensen van hun 'eigen' winkeltjes, zeiden ze. Toen ik eens met een groepje vrouwen de bus van Caoba naar El Remate instapte, maanden ze me onmiddellijk weer met hen uit te stappen. *"Die buschauffeur ken ik niet, hoor"* sisten de vrouwen tegen mij en elkaar, *"misschien is het wel een zuiplap, levensgevaarlijk."* Doordat de vrouwen zo gewend zijn bij iedereen om zich heen een achtergrond te kennen, ervaren ze het als beangstigend om dat, bij onbekenden of op onbekende plekken, niet te hebben.

Sociale relaties in El Remate worden dus enerzijds gekenmerkt door vriendelijke, maar oppervlakkige omgang, roddels en een gebrek aan openheid en vertrouwen. Anderzijds worden de interne dorpsrelaties gekenmerkt door een grote onderlinge bekendheid, een gevoel van geborgenheid en daarmee samenhangende angst voor het onbekende.

De wereld buiten El Remate

El pueblo

Zowel de oorzaak als het gevolg van deze angst voor het onbekende is dat vrouwen hun dorp niet vaak verlaten. De vrouwen hebben over het algemeen weinig reden om ver buiten het dorp te gaan. Daarnaast verhindert geldgebrek vaak al bij voorbaat eventuele uitstapjes. Net als vaders en echtgenoten die hun dochters of vrouwen geen toestemming voor uitstapjes geven.

Toch zijn er voor de dorpsbewoners wel enkele redenen om het dorp af en toe verlaten. Eén reden kan zijn om familieleden in nabijgelegen dorpjes te bezoeken, zoals Gaya die regelmatig teruggaat naar Caoba waar haar moeder, zussen en broers wonen. Ook de provinciehoofdstad Santa Elena, door de dorpsbewoners simpelweg *'pueblo'* genoemd, vormt sporadisch een reden om El Remate tijdelijk te verlaten. De kleine provinciehoofdstad ligt zo'n 30 kilometer van El Remate verwijderd, een klein uur met de bus. Iedere dag van zes uur 's ochtends tot twee uur 's middags verbindt een bus op een paar redelijk vaste tijdstippen het dorp met de stad. Kosten van een enkele reis bedragen vier *quetzal*, ongeveer een halve euro, af te rekenen met de busjongen die langs de bankjes loopt of zich zonodig zonder veel moeite door de mensenmassa in het gangpad wurmt. Santa Elena lijkt meer op een uit de kluiten gegroeid dorp dan op een stad, in feite bestaat het ook uit drie tegen elkaar aangegroeide nederzettingen: Flores, San Benito en Santa Elena. Slechts enkele straten zijn geasfalteerd, er is alleen maar laagbouw. In totaal wonen hier zo'n 17.000 mensen.

De markt in Santa Elena is voor dorpsbewoners de voornaamste reden om af te reizen naar deze stad. Hier is een grotere diversiteit aan producten te vinden dan in de miniwinkeltjes in het dorp, de producten zijn in grotere hoeveelheden aanwezig en zijn hier net iets goedkoper. De meeste vrouwen in El Remate beschikken echter niet over genoeg geld om op de markt groot inkopen te kunnen doen, of zelfs maar de busreis te bekostigen, en kopen hun benodigdheden dus meestal beetje bij beetje bij de kleine winkel in het dorp zelf.

Op de markt worden groenten, fruit en vlees verkocht, maar ook allerlei droge levensmiddelen als rijst, pasta, melkpoeder, koffie, suiker, zeep enz. Er wordt nieuwe en gebruikte kleding verhandeld, naast lappen stof, schoenen, medicijnen, schoonheidsproducten en allerlei gebruiksvoorwerpen: van plastic vuilnisbakken tot slagersmessen tot rekenmachines, potten, pannen, gereedschap, cement enz. Ook gekopieerde cd's en cassettes, fietsen, meubels en naaimachines zijn hier te koop. Tussen alle verkoopkraampjes zijn kappers, kleermakers, schoenmakers en eet- en drinktentjes te vinden. De markt is voor een groot gedeelte overdekt en lijkt een doolhof van kleine, donkere gangetjes. Deze markt is er elke dag, maar alleen op dinsdag en vrijdag worden er verse ladingen groenten en fruit aangeleverd.

Er zijn echter meer redenen om af en toe naar de stad te moeten gaan. Hier bevinden zich namelijk ook het stadhuis van de hele streek, het kantoor waar land wordt verdeeld, het ziekenhuis, doktoren, apotheken en verschillende banken, waar elke maand de elektriciteitsrekening contant moet worden betaald. Verder vertrekken er vanaf de busplaats naast de markt geregeld bussen naar andere delen van Guatemala.

Of verder ...

Reden om met één van deze bussen verder weg dan Santa Elena te gaan, is wederom familiebezoek, met name bij bijzondere gebeurtenissen zoals een huwelijk of een overlijden. Andere redenen zijn bijvoorbeeld doktersbezoek of een ziekenhuisopname in de hoofdstad – een minstens negen uur durende busreis vanaf Santa Elena – waar de artsen meer gespecialiseerd en de ziekenhuizen beter uitgerust zijn dan het provincieziekenhuis in Santa Elena. Verder bevindt zich in het zuiden van Guatemala een zwart Christusbeeld waar veel mensen eens een pelgrimstocht, per bus, heen zouden willen maken. Niemand in El Remate heeft dit al daadwerkelijk gedaan. Geldgebrek vormt de grootste belemmering op een verre (bus)reis te gaan. De meeste dorpsbewoners zijn nog nooit in de hoofdstad geweest en waarschijnlijk zullen vele er ook nooit komen.

Ernstige geldnood kan echter ook juist de aanleiding zijn om een reis naar de grote stad te ondernemen. Als Eliza's man niet binnen afzienbare tijd een baan kan vinden in de buurt van El Remate, overweegt hij naar de hoofdstad te trekken omdat daar volgens de verhalen altijd wel werk te vinden is in één van de fabrieken. Wanneer hij daar dan ook een onderkomen heeft geregeld, zal hij vrouw en kinderen over laten komen. Eliza zegt hierover: "*Wat moet, dat moet*", maar ze verhuist liever niet naar de stad. "*Daar moet je namelijk alles kopen*", zegt ze, "*zelfs hout om op te koken.*" Andere vrouwen gebruikten precies ditzelfde argument om me uit te leggen waarom ze liever niet in de stad willen wonen.

Buurland Belize ligt dichterbij El Remate dan Guatemala-Stad, ofwel '*la capital*': het is zo'n zestig kilometer naar de grens, twee uur met de bus. Sommige dorpelingen trekken deze grens over om een relatief goedbetaalde, doch illegale baan te zoeken. Belize, een Engels protectoraat, niet geteisterd door jarenlange burgeroorlog, heeft een veel stabielere economie op kunnen bouwen dan Guatemala, waardoor de lonen aanzienlijk hoger liggen. Bijna de helft van de officieel Engelstalige Belizaanse populatie bestaat tegenwoordig uit Spaanstalige immigranten uit de andere Centraal-Amerikaanse landen, wat betekent dat deze immigranten zich in Belize nog steeds kunnen omringen met cultuurgenoten. Het leven net over de grens, waar de meeste Guatemalteken werken, verschilt weinig van het leven in Guatemala: dezelfde soort dorpen en huisjes, hetzelfde soort eten, zelfs dezelfde telenovelas. Het feit dat echter zowel sommige vrouwen als mannen de stap nemen om elders werk te zoeken, geeft aan dat dorpsbewoners in bepaalde gevallen dus wel degelijk bereid zijn hun thuisbasis achter te laten.

Beperkte vrouwenlevens

Gaya zou graag verpleegster willen worden, maar verschillende obstakels verhinderen de verwezenlijking van deze droom. Om te beginnen heeft Gaya geen afgeronde basisschoolopleiding, wat vereist is voor de zusteropleiding in Santa Elena, omdat haar moeder haar voortijdig van school haalde om te werken. Verder zal ze haar vier jonge kinderen elke dag ergens moeten onderbrengen. Deze twee problemen zijn echter overkomelijk: de basisschoolopleiding valt in te halen en verschillende familieleden zouden tijdelijk de zorg voor de kinderen kunnen overnemen. Twee andere obstakels vormen echter een groter probleem. Salvador staat Gaya niet toe te studeren, hij wordt al boos bij het idee: *"Je gaat zeker een andere man zoeken daar!?."* En afgezien daarvan, waar zou ze het geld voor zo'n opleiding, voor studieboeken en voor dagelijks vervoer naar de stad vandaan moeten halen?

Zoals al genoemd speelt chronisch geldgebrek een grote rol in de beperking van de vrouwenlevens. De meeste vrouwen kunnen net aan rondkomen, dat wil zeggen van dag tot dag aan genoeg voedsel voor hun gezin komen. Daarnaast moeten er af en toe grotere bedragen verzameld worden, voor bijvoorbeeld de maandelijkse elektriciteitsrekening, schoolspullen voor de kinderen of onverwachte uitgaven als een doktersbezoek of medicijnen. Veel geld voor andere zaken is er simpelweg vaak niet.

Zoals uit het voorbeeld van Gaya blijkt, is geldtekort echter niet de enige oorzaak van de beperkte mogelijkheden tot ontwikkeling van deze vrouwen. Een autoritaire dan wel beschermende vader of echtgenoot en de plicht van een vrouw hem te gehoorzamen, dragen hier ook aan bij. Net als de vele zwangerschappen van de vrouwen, die hen vaak al jong aan huis en man binden. Verder kost het huishouden de vrouwen enorm veel tijd omdat alles met de hand moet gebeuren. Er blijft weinig tijd over voor een opleiding of baan. Veel vrouwen hebben ook weinig behoefte aan een opleiding of baan, hoogstens voor het beetje extra geld dat dit oplevert. Eliza was hier vrij duidelijk over toen ik haar vroeg wat ze graag zou willen met haar leven: "*Gewoon hier* [op haar terreintje] *zijn en niks doen.*" Zij heeft tot nu toe veel moeten werken om zichzelf en haar kinderen van eten te voorzien, haar droom is de luxe dit niet meer te hoeven doen.

Vensters op de wereld

Al met al komen de meeste vrouwen weinig buiten hun dorp. Maar ook binnen de grenzen van El Remate vindt men tekens van leven buiten het dorp. Bijvoorbeeld de bus die elke dag verschillende malen over de enige geasfalteerde weg door het dorp rijdt en mensen brengt uit en meeneemt naar andere oorden. Toeristen die Tikal bezoeken reizen over deze hoofdstraat door El Remate. Sommige van hen verblijven in één van de hotelletjes van El Remate. Tegenwoordig kan men in het dorp een krant kopen, met nieuwtjes uit andere delen van Guatemala. En, niet te vergeten, sinds vier jaar is er televisie.

Op verschillende niveaus kunnen de bewoners van El Remate dus wel degelijk in contact komen met de 'buitenwereld'. In hoeverre bieden deze mogelijke contacten de dorpsbewoners zicht op en inzicht in de wereld buiten het dorp, in hoeverre fungeren ze als 'venster op de buitenwereld'?

In Santa Elena zijn verschillende nationale kranten te koop, in El Remate sinds kort eentje. De nieuwsberichten in deze krant gaan voornamelijk over Guatemala en zijn over het algemeen erg sensatiebelust. Bij de vele verhalen over moord of dodelijke ongelukken staan niet zelden grote foto's van bebloede lijken. Verdachten van misdrijven worden zonder schroom met foto, naam en toenaam in de krant tentoongesteld. Aan internationaal of politiek nieuws wordt weinig aandacht besteed. De krant die in het dorp verkocht wordt, heeft weliswaar een internationale pagina, maar deze is gevuld met triviale nieuwtjes en vermakelijke foto's uit de rest van de wereld: een Siberisch tijgertje geboren in een dierentuin in Duitsland, een bosbrand in Australië die acht huizen verwoestte, de nieuwste bikinimode uit Frankrijk. Weinig vrouwen kopen of lezen de krant. "*Er staat toch alleen maar slecht nieuws in*", verklaarde één van de vrouwen. Daarnaast vinden ze de krant een onnodige kostenpost. Mercedes rekende me eens voor hoeveel iemand die dagelijks een krant zou willen kopen wel niet kwijt is. In El Remate kost de krant Q2,50 [zo'n 30 eurocent], een halve *quetzal* meer dan in Santa Elena en één *quetzal* meer dan in de hoofdstad.

Boeken zouden ook een beeld kunnen brengen van de wereld buiten het dorp, ware het niet dat ik in geen enkel huis een boek heb aangetroffen. Lezen is geen onderdeel van het dagelijkse leven in El Remate. De meeste vrouwen kunnen niet gemakkelijk lezen en vermijden het daarom ook liever.

Omdat er tot voorkort weinig belang werd gehecht aan scholing voor meisjes, hebben weinig vrouwen hun basisschoolopleiding voltooid. Sommige vrouwen vonden het jammer niet naar school te kunnen of deze niet af te maken, anderen vonden school zelf toch niet leuk of te moeilijk. Naar eigen zeggen hebben de vrouwen in hun jaren op de basisschool alleen gehoord over de geschiedenis van Centraal-Amerika, niet over de rest van de wereld. Eliza zegt dat ze ooit de hoofdsteden van de Centraal-Amerikaanse landen heeft moeten leren, maar die is ze allemaal vergeten. Ze kent alleen wat steden in Mexico, vervolgt ze, door de telenovelas, die zich in verschillende Mexicaanse steden afspelen. De meeste vrouwen hebben dus weinig mogelijkheden gehad iets te leren over de geschiedenis, geografie, rechtenstelsel e.d. van hun eigen land en andere landen. Zoals ik heb beschreven, biedt de krant weinig aanvulling op dit gebrek aan algemene ontwikkeling.

Hoewel veel toeristen die Tikal bezoeken hun onderkomen zoeken in de provinciehoofdstad Santa Elena, is ook in El Remate het toerisme toegenomen. De eerste hotelletjes verschenen zo'n vijftien jaar

geleden, de laatste vijf jaar is hun aantal opgelopen van drie naar vijftien. De meeste hotels en restaurants zijn in de hoofdstraat van El Remate, langs het meer, te vinden. Hier lopen regelmatig toeristen, met
name jonge, blanke rugzaktoeristen. Dieper in het dorp, waar de
meeste mensen wonen, komen deze buitenlanders echter praktisch
nooit. Het algemene beeld van toeristen onder de dorpelingen lijkt
te zijn dat ze nou eenmaal echt anders zijn, een beetje raar, maar
meestal wel heel vriendelijk. Een deel van de inwoners van El Remate
is op directe of indirecte wijze afhankelijk van het geld dat de toeristen met zich mee brengen. Ze werken in een hotel of restaurant, le-
veren producten aan restaurants, maken en verkopen houtsnijwerk
aan de toeristen, verzorgen vervoer naar de Maya-tempels of het kleine vliegveld in de buurt, of organiseren tours door de jungle. De
meeste toeristen verblijven slechts enkele dagen in El Remate en be-
moeien zich weinig met de lokale bevolking. Ze bezoeken de Maya-
tempels in Tikal en vertrekken weer naar een volgende bezienswaardigheid. De meeste dorpsbewoners komen in hun dagelijkse leven
weinig in direct contact met de toeristen. Ze worden meestal slechts
op indirecte wijze met het fenomeen 'toerist' geconfronteerd: ze
zien hen rondlopen in het dorp, of er is bijvoorbeeld weinig inkomen 'omdat het toerisme laag is'.

In Santa Elena zijn verschillende nationale en internationale hulpor-
ganisaties gehuisvest. Mercedes wist hier, eigenlijk als enige, over te
vertellen. Ze kwam met een mensen- en vrouwenrechtenorganisatie
in aanraking toen ze voor een rechter in Santa Elena werd gedaagd
omdat haar ex-man voogdij wilde krijgen over hun kinderen. Gaya
wist mij te vertellen dat Guatemalteekse vrouwen de laatste jaren
steeds meer rechten hebben gekregen. De overheid komt sterk op
voor de rechten van de vrouw, waarschijnlijk onder invloed van internationale mensenrechtenorganisaties. Als zij Salvador zou verlaten, vertelde Gaya me, zou zij degene zijn die juridische steun van de
overheid kan verwachten. Vroeger zouden vrouwen bij zo'n keuze
nergens goedkeuring hebben kunnen vinden. Grote internationale
organisaties en nationale wetten dringen dus wel degelijk door tot in
de diepe jungle van Guatemala.

De vrouwen met wie ik sprak, hadden geen idee waar Nederland ligt. Alle toeristen worden '*gringo*' genoemd, wat een *slang*-woord is voor 'Noord-Amerikaan'. '*Ligt het verder dan "los Estados*" [de VS, letterlijk "de Staten"]?' werd mij vaak gevraagd wanneer ik duidelijk had gemaakt dat Nederland niet *in* de VS ligt. Naast de buurlanden Mexico, waar veel kabelkanalen en telenovelas vandaan komen, en Belize, waar sommige Guatemalteken hun economische positie proberen te verbeteren, zijn de Verenigde Staten het enige buitenland dat wezenlijk deel uit maakt van het dagelijkse leven in El Remate. Enkele bewoners van El Remate hebben familieleden die illegaal ['*mojado*'] de grens van de VS over zijn gevlucht en daar werken of werk zoeken. Deze emigranten sturen af en toe geld naar hun achtergebleven familieleden in Guatemala. De achterblijvers hebben op een sporadisch gesprek over de dorpstelefoon, een opgestuurde foto of geld na, weinig contact met hun vertrokken familieleden. Ze wisten me meestal niet te vertellen wat hun broer, zus, zoon of dochter precies voor werk doet in de VS, dit leek voor hen weinig relevant. In gedachten zijn de vertrokken familieleden wel bij hen, maar de achtergebleven dorpelingen hebben weinig beeld van het leven dat hun familieleden leiden in de VS. Enkele teruggekeerde emigranten vertelden me dat ze in de VS hadden gewerkt als tuinman, fabrieksmedewerker of schoonmaker. De meesten verlangden terug naar het land 'vol gemakken'. '*Daar kun je tenminste overal cornflakes kopen*', zei een vrouw die in de VS in een fabriek had gewerkt had, vaak zeven dagen per week, lange dagen omdat de overuren het meeste verdienden. Maar ze had dan ook wel een appartement met vloerbedekking gehad, vertelde ze trots.

Tweedehands kleding uit de VS, '*ropa americana*', is in Guatemala een grote en goedlopende handel. Deze kleding wordt omschreven als '*original*' en van betere kwaliteit geacht dan lokaal gemaakte, nieuwe kleding, die volgens de vrouwen snel kapotgaat. Verder is ook in El Remate zowel Pepsi als Coca Cola te koop en wordt het graag gedronken, doch alleen als luxeproduct, bijvoorbeeld bij speciale gelegenheden zoals Kerstmis. Alle winkeltjes verkopen Alka Seltzer, een Amerikaanse pijnstiller. Sommige zelfs Kellogg's Cornflakes, zij het voor een hoge prijs. Het woord voor tandpasta is in El Remate 'colgate'.

Van de *ropa americana* is men zich bewust van de herkomst, het woord zegt het al. Van de andere Amerikaanse importproducten is dit echter niet zo sterk het geval. De VS zijn aanwezig in het dagelijkse leven in El Remate, maar niet heel expliciet. Het leven in de VS is voor de meeste mensen uit het dorp te ver, te abstract om een daadwerkelijke aantrekkingskracht op hen uit te oefenen.

De 'tekens van leven buiten het dorp' die de vrouwen in hun dagelijkse leven tegenkomen, geven slechts een heel beperkt beeld van de rest van de wijde wereld. School en kranten werken weinig verbredend door hun beperkte aandacht voor wereldwijde, internationale historische en hedendaagse gebeurtenissen. Daarnaast zijn de dorpsvrouwen weinig geïnteresseerd in de 'nare' nieuwsberichten. Ook met toeristen hebben ze weinig direct contact. De toeristen mogen dan wel het besef brengen van het bestaan van andere werelden en mogelijke levensstijlen, ze bieden weinig specifieke invulling van hoe of waar die andere werelden en levensstijlen zijn.

De aspiraties van de vrouwen (en mannen) liggen meestal binnen het dorp. Hun belevingswereld blijft, ondanks de diverse factoren van buitenaf, vooral gericht op het dorp en zijn omgeving. Ergens ver ligt de grote hoofdstad, en ergens anders ver, nog verder, liggen '*Los Estados*'. Op een enkeling na die zegt dat hij of zij wel naar '*Los Estados*' zou willen om daar geld te verdienen, wil niemand ergens anders wonen dan in het dorp waar ze nu wonen. Hier kennen ze namelijk mensen, hier woont hun familie, hier zijn dus mensen die hen in geval van nood kunnen helpen, redeneren ze. De grootste wens van veel dorpsbewoners bleek om een eigen terreintje te bezitten en daarop een huis te bouwen of, als ze al een eigen huis bezaten, dat te verbeteren. Praktisch iedereen had een duidelijk idee over hoe hij of zij zijn huisje zou willen. Uiteindelijk wil iedereen namelijk graag een huis van '*blocs*' [betonnen blokken], maar daar is flink wat geld voor nodig, minstens zesduizend *quetzal,* rekende iemand me voor (zo'n zevenhonderd euro, zes gemiddelde maandlonen).

Eén belangrijke mogelijke 'horizonverbreder' is nog niet aan de orde gekomen, namelijk de televisie die sinds kort in zo veel huisjes in El Remate te vinden is...

3. De aangeklede televisie

Nieuwe praktijken rondom een nieuw object

Toen El Remate enkele jaren terug werd aangesloten op het elektriciteitsnet waren de meeste dorpsbewoners al wel bekend met het wonderlijke fenomeen televisie. Zij werden hiermee voor het eerst geconfronteerd toen partijafgevaardigden tijdens grootschalige verkiezingscampagnes het hele land doorkruisten, uitgerust met televisietoestel, stroomgenerator en propagandaspotjes. Vanuit de hele omgeving verzamelden zich dan dorpelingen om de spotjes en de televisies te bekijken. Tegenwoordig heeft het merendeel van de dorpsbewoners in zijn eigen huis een televisietoestel staan.

De plaats die een televisie krijgt binnen een bepaalde ruimte is van invloed op zowel deze ruimte als de ervaring van het televisiekijken. Naast de locatie van een televisietoestel zijn ook de tijdelijke omstandigheden van elk willekeurig moment van invloed op de interpretatie van televisiebeelden. Voor de bewoners in El Remate ligt televisiekijken ingebed in een werkelijke wereld vol tropische hitte of juist winterse kou waar in de hutjes niet aan te ontsnappen valt; geuren van vuur, eten of koffie; geluiden van kinderen, honden en hanen; zorgen over brandhout, geld, voedsel; mannen die eten, koffie of aandacht willen; kinderen die honger hebben; was die gevouwen moet worden enz. enz. Bij deze poging om grip te krijgen op de invloed van televisie is het dus van belang om aandacht te besteden aan de plek die de televisie inneemt binnen de huisjes en binnen het dagelijkse leven van de kijkers.

Een afgebakend stuk terrein

Eigenlijk is 'huis' geen juist uitgangspunt bij het beschrijven van de directe leefomgeving van de bewoners van El Remate. Elk gezin leeft op een afgebakend stukje terrein. Op dat terreintje bevindt zich een huisje, maar vaak los daarvan ook een aparte, overdekte plek om te koken en een *pila*, een betonnen waterbak waar lichaam, kleding en vuile vaat gewassen kunnen worden. Ergens in een hoek van het terrein is een wc, meestal een gat met een betonnen pot erboven, afgeschermd door plastic zeil of planken. Sinds een jaar beschikt El Remate over stromend water en enkele huisjes hebben nu buiten een (koude) douche.

De meeste huizen in El Remate zijn zelfgebouwd en verschillen daarom allemaal van elkaar. Het merendeel is gemaakt van hout: brede planken, latten of takken. Sommige huisjes zijn gebouwd op de manier van de vroegere Maya-indianen: een houten frame gevuld met rotsblokken, dichtgepleisterd met kalk, dat veel in de omgeving te vinden is. Een aantal bewoners heeft al een huis kunnen bouwen van betonblokken en een golfplaten dak. Als ze genoeg geld hadden, zit er ook een echte deur in het huis, maar glazen ruiten in de vensters heeft niemand.

Uiteindelijk wil iedereen zo'n huis dat helemaal uit betonnen blok-

ken is opgebouwd. Beton is stevig en duurzaam materiaal, daar zijn de huizen in de stad en sommige hotels in het dorp van gemaakt: in de ogen van de dorpsbewoners geeft beton aanzien. Daarnaast wordt het de lokale bevolking door de regering steeds moeilijker gemaakt om bouwproducten uit de jungle te halen. Door deze maatregelen om de jungle te sparen, kost het nu heel wat moeite en geld om vergunningen te regelen voor het kappen, plukken en vervoeren van hout en bladeren. Het meeste transport hiervan voor lokaal gebruik vindt tegenwoordig 's nachts plaats, wanneer er geen politiecontroles op de wegen zijn.

Tot voor kort werd op alle huisjes een dak van grote palmbladeren gelegd. Het leggen van zo'n bladerdak is vakmanschap, slechts een beperkt aantal mannen in het dorp kan dit en zij worden hiervoor betaald. Elke vijf tot tien jaar moet zo'n dak vervangen worden. Steeds vaker komt er nu niet een nieuw bladerdak op de huisjes te liggen, maar een dak van aluminium golfplaten. Dat hoeft tenminste niet zo vaak vervangen te worden en met de aanschaf zijn niet allerlei vergunningen of illegale praktijken gemoeid. Een golfplaten dak maakt de huisjes echter wel veel heter dan een bladerdak.

De huisjes bestaan meestal uit één ruimte, eventueel in tweeën verdeeld door doeken of een half wandje van planken, kalk of plastic zeil. Meestal fungeert zo'n afscheiding om het ouderlijk bed van dat van de kinderen te scheiden. Het komt echter regelmatig voor dat er ook wat kinderen, de jongste, bij hun ouders in bed slapen. Eliza zei hierover: *"Ik weet dat dit bij andere mensen* [buitenlanders of rijken] *niet normaal is, maar hier gebeurt dat vaak."* Ik antwoordde dat ik wist dat dit hier normaal is, maar dat ik me toch altijd afvroeg wat de ouders doen als ze willen vrijen. *"Oh, gewoon"*, zei Eliza, *"zo'n klein kindje begrijpt daar toch niets van, dat leeft in een andere wereld."*

In de kleine huizen staat meestal niet veel meer dan de bedden en wat kastjes. De vloer is van aangestampte aarde of kalk dat ooit wit was. Ik ben slechts in één huisje geweest waar de vloer betegeld was. Door deze vloer gaf dit huisje een heel andere indruk dan de rest van de huizen, die nog het meest op schuurtjes lijken. Hier was opeens een wezenlijk onderscheid tussen 'binnen' en 'buiten'. Iedereen deed dan ook zijn schoenen uit bij het binnengaan van dit huisje, iets wat ik verder nergens heb zien gebeuren. De inrichting van dit huis verschilde echter niet veel van die van de andere huisjes: in elke hoek een bed, wat kastjes en in het midden een hangmat

Pick-up truck vol televisies

Hoewel niemand over veel geld beschikt, zijn de meeste huishoudens in El Remate in het bezit van een televisie. Een goedkoop kleurentelevisietoestel kost zo'n 2000 *quetzal* (ongeveer 225 euro), het dubbele van een gemiddeld maandloon van een man. Het apparaat wordt bijna altijd op afbetaling gekocht, net als andere grotere uitgaven zoals bedden, kasten of dekens. Slimme handelaren rijden met een pick-up truck vol waren, bijvoorbeeld televisies, door de dorpen en vertellen hoe makkelijk een dergelijk apparaat te financieren is op afbetaling. Later komen ze op gezette tijden hun geld innen en zetten dan stempels op de afbetaalkaarten van de kopers. De mensen die nog niet in staat zijn geweest een televisie aan te schaffen, hebben dit meestal wel bovenaan hun verlanglijstje staan.

De televisie bevindt zich in de (slaap)huisjes. Alleen hier is het apparaat beschermd tegen diefstal en regen. Het toestel is neergezet

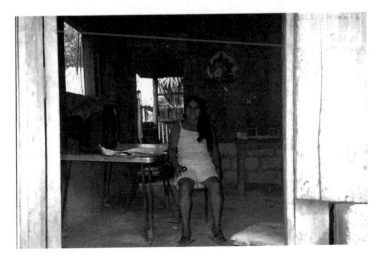

op een kastje of een tafel tegen een wand. Meestal wordt er vanaf
de bedden naar gekeken omdat er geen andere zitvoorzieningen
zijn. Het huis van Mercedes vormt hierop een uitzondering omdat
alle bedden achter een wand van doeken schuilgaan en zo geen zicht
bieden op de televisie. Om toch een beetje gescheiden te slapen van
haar vier kinderen tussen de 10 tot 15 jaar schuiven Mercedes en
haar man elke avond een matras van achter de lappen naar het voorgedeelte van het huisje. In dit voorgedeelte staat de grote televisie
op een tafel waar ook wat deels kapotte stoelen bijhoren. De stoelen
staan om de tafel als er aan gegeten wordt en in een keurig rijtje
voor de televisie wanneer deze aanstaat.

In het voorgedeelte heeft Mercedes ook een cassetterecorder
staan. Aan de muur is een klein altaar gemaakt met een Mariabeeld
en een Delftsblauw molentje dat ik haar eens gegegeven heb. Zoals
in veel van de houten huisjes hangen er enkele middenpagina's van
de krant aan de muur, bij Mercedes staat er een Guatemalteeks voetbalteam op afgebeeld. De krantenpagina's aan de wand dienen als
versiering, maar ook om kieren te dichten en zo tocht en eventuele
gluurders tegen te gaan. De televisie is verreweg het kostbaarste bezit dat Mercedes in haar huisje heeft staan en hetzelfde geldt voor
alle huizen waar ik binnen ben geweest.

De televisietoestellen in El Remate zijn vaak bedekt met een ge-
haakt doekje, net als sommige tafels en kastjes. Op het doekje staan
meestal nog wat kleine versiersels: een vaasje met plastic bloeme-
tjes, een fotolijstje, beeldjes. De televisies worden dus 'aangekleed' of
versierd. Gaya schreef me dat ze een foto van mij op haar televisie
heeft gezet, *"zodat we je nu elke dag zien"*. De televisie vormt nu
vaak het centrale aandachtspunt binnen de huisjes. Dit is niet zo ver-
bazend, want televisiekijken is, naast slapen, de voornaamste bezigheid binnen de huisjes.

Gejuich stijgt op uit het dorp

's Avonds is het in het voorgedeelte van Mercedes' huis een komen
en gaan van mensen die even televisie kijken: Mercedes zelf, haar

kinderen en familieleden die naast hen wonen en zelf nog geen televisie hebben kunnen kopen. Af en toe is het vechten om een stoel,
op andere momenten zitten er nog maar één of twee mensen te kijken. Een broer komt binnen, Mercedes staat op om een kop koffie
voor hem te maken, hij kijkt even mee naar een programma en ver-
dwijnt dan weer. Eén van de dochters moet van Mercedes wat te
eten maken voor het gezin, het zoontje wordt voor een boodschap
naar een winkeltje gestuurd. Even later moet een andere dochter de
keuken opruimen. Iemand gaat even douchen enz. enz.

Ook in de andere huishoudens is televisiekijken geen passieve ge-
beurtenis met een constant en voortdurend geconcentreerd publiek.
Vrouwen hebben meestal niet de luxe om ongestoord een telenovela
te volgen, ze kunnen altijd worden aangesproken op hun plichten als
moeder en echtgenote. Wanneer Gaya's favoriete telenovela begint,
neemt ze snel plaats op het bed dat het dichtst bij de televisie staat

en begint, als ze tenminste niet te moe is, de enorme stapels schone was op te vouwen, ondertussen kijkend naar de tv. Meestal begint haar jongste zoon van drie al snel te vragen om zijn fles. Gaya geeft één van de oudere kinderen opdracht het flesje te zoeken en loopt dan zelf naar buiten om het te vullen met lauwwarme koffie en veel suiker. Zonder deze koffie kan hij niet slapen, beweert ze. Nu is de koffie die in El Remate gedronken wordt meestal de goedkoopst verkrijgbare koffie, van erg slechte kwaliteit, volgens de geruchten aangelengd met gemalen maïs. Het heeft wellicht daarom niet zo'n opwekkend effect als de koffie die men in Nederland gewend is te drinken.

Tegen de muur, ook vlak bij de televisie, staat een autobankje. Hier zitten de nog wakkere kinderen met een kop met water aangelengde koffie in hun handen naar de televisie te kijken. Zij gaan op een gegeven moment uit zichzelf ook op een bed liggen. Vanaf daar

kijken ze nog wat naar het beeldscherm en vallen dan, met hun kleren nog aan, in slaap. In koude winternachten kruipen de kinderen allemaal in één bed, om elkaar warm te houden, want in de huizen vol kieren valt moeilijk te ontsnappen aan de kou.

Gaya vertelde me eens verbaasd dat toen ze een avond bij een tante had meegekeken naar een telenovela-aflevering er gedurende de hele uitzending door niemand iets werd gezegd. Dit was in haar eigen huis wel anders. Tijdens het kijken naar de telenovelas en de onderbrekende reclames bespraken Gaya en ik dingen die op dat moment toevallig bij ons opkwamen en verder niets met de telenovela te maken hadden, of maakten we een opmerking over de gebeurtenissen in de telenovela. Soms vroeg ik om uitleg van een zin of scène die ik niet begreep of gaf Gaya uit zichzelf achtergrondinformatie, want van sommige series had ik al heel wat afleveringen gemist. Regelmatig verzuchtte Gaya hevig genietend dat een bepaalde serie of aflevering *"tan emocionante!!"*, zo emotionerend was. Aan begin en einde van een aflevering zongen Gaya en ik de titelsongs van de telenovelas mee. De kinderen konden het beperkte aantal reclames, die de telenovelas erg vaak onderbraken, letterlijk meezeggen en -zingen. Kinderen werden slechts tot stilte gemaand tijdens erg spannende scènes, wanneer bijvoorbeeld iemand met een pistool bedreigd werd, een vreemdgaand paartje op heterdaad betrapt werd of de twee goede hoofdpersonen elkaar eindelijk kusten. Op zulke momenten stopten de vrouwen zelf ook met eventuele andere bezigheden en richtten ze hun aandacht volledig op de televisie.

'Se fue la luz!' klinkt het in het dorp als de elektriciteit is uitgevallen, wat met name in de regenseizoenen regelmatig gebeurt. Ruim voor aanvang van hun favoriete telenovelas beginnen veel vrouwen zich al zorgen te maken. Een gejuich stijgt op uit het dorp wanneer de elektriciteit terugkomt. Gaya liep eens op straat toen de elektriciteit terugkwam tijdens het uur van 'haar' telenovela. Ze rende onmiddellijk met de kinderen aan haar hand terug naar haar huisje. Thuis aangekomen zei haar man haar echter dat ze een lichtpeertje voor hem moest gaan kopen. Ze klaagde niet, slaakte slechts een stille zucht

van zelfmedelijden. Rennend verdween ze en hijgend kwam ze terug, gelukkig dat ze nu kon gaan kijken.

Televisie wordt vooral 's avonds bekeken, wanneer het donker is en er nog maar weinig taken uitgevoerd kunnen worden. Eventuele huishoudelijke plichten zijn beperkt tot binnen het huis en dus makkelijker te combineren met televisiekijken. Zij die niet zelf over een toestel beschikken, gaan 's avonds vaak op bezoek bij buren of familieleden die wel een televisie hebben. Eliza loopt praktisch elke avond met haar nieuwe man en twee kinderen naar de andere kant van het dorp om in haar moeders huis televisie te kijken. Alleen wanneer haar man te moe is of wanneer het regent, blijft het gezin thuis en gaat vroeg naar bed. Zodra ze in het huis van Eliza's moeder aankomen, nemen ze plaats op een bed of een stoel en beginnen ze onmiddellijk met staren naar de beeldbuis. Er worden niet veel woorden gewisseld met aanwezige familieleden. Sommigen kijken mee, anderen zijn met eigen dingen bezig. Een halfzus van Eliza ruimt het huis een beetje op, een halfbroertje schuurt een houten masker dat aan toeristen verkocht zal worden, beiden met een schuin oog meekijkend naar de programma's op tv.
Alberto, de man van Eliza, neemt meestal de afstandsbediening in

de hand. Hij houdt van telenovelas, net als Eliza en haar dochtertje Carlota, *"omdat ze zo spannend zijn"*. Op het moment kijken ze meestal naar '*Las Vias del Amor*', dat op drie verschillende kanalen wordt uitgezonden en op elk kanaal in een andere fase van het verhaal is. Tijdens de reclame zapt Alberto langs andere kanalen en blijft dan soms even hangen bij een andere aflevering van '*Las Vias del Amor*'. Ik heb één keer meegemaakt dat hij een film verkoos boven het vervolg van de telenovela die we aan het kijken waren. Dit was een Mexicaanse film waar een hele reeks van bestaat over Maria, een naïef indianenvrouwtje dat in de stad allerlei *slapstick*-avonturen beleeft. Zowel hij als Eliza riepen opgetogen *"Oh, 'Maria', dit is leuk!"* toen Alberto langs deze film zapte. Alleen dochter Carlota was niet blij met zijn keuze en jammerde zachtjes dat ze '*Perla*' wilde zien, maar niemand luisterde naar haar.

Na afloop van de *telenovela*-aflevering zapt Alberto nog even. Soms vindt hij een leuke film. De meeste films komen uit de VS en zijn Spaans ondertiteld. Niemand kan echter zo goed lezen dat hij of zij de ondertitelingen kan volgen voordat deze weer verdwijnen. Toch weerhoudt hen dit niet de films te bekijken. Uit wat ze zien kunnen ze wel opmaken waar het ongeveer over gaat, legt Eliza me uit. De meeste films zijn actiefilms en daarin doet de tekst er inderdaad niet erg veel toe. Zodra Alberto niets leuks meer vindt op televisie staan hij en Eliza op om te vertrekken. Soms maken ze de in slaap gevallen kinderen wakker, soms laten ze hen liggen tot de volgende dag. In het maanlicht of het pikkedonker lopen ze terug naar hun eigen huisje. Eenmaal thuis gaan ze gelijk slapen.

Zoals bij de meeste aspecten van het leven in El Remate blijkt dat ook bij de programmakeuze op televisie volwassenen meer zeggenschap hebben dan kinderen en mannen over het algemeen meer zeggenschap dan vrouwen. Zo nam Alberto altijd de afstandsbediening in de hand, hij bepaalde wat er aan stond en wanneer er niets leuks meer te zien was. Wanneer Salvador thuis kwam, keek hij meestal mee naar de telenovela die Gaya op dat moment aan het kijken was omdat hij deze zelf ook interessant vond. Daarna was hij degene die besloot welk programma er aan stond en wanneer het tijd was om de televisie uit te zetten. Omdat de mannen echter weinig thuis zijn, zijn het uiteindelijk toch voornamelijk de vrouwen, en als zij niet meekijken de kinderen, die beslissen wat er aan staat.

Soms, als ze zich verveelt, gaat Eliza overdag met haar kinderen naar haar moeder. Ook dan gaat de televisie vaak aan. De kinderen kijken tekenfilmpjes, maar wanneer er volwassenen mee willen kijken, wordt er overgeschakeld naar een telenovela of één van de dramatische *talkshows*. Er wordt dus niet alleen 's avonds televisie gekeken, maar soms ook overdag. Wanneer Gaya haar kinderen even lastig of te druk vond, sommeerde ze hen vaak tv te gaan kijken. "*Die staat niet voor niets aan!*", voegde ze dan streng toe. Gaya zegt blij te zijn met de televisie omdat kinderen nu veel rustiger zijn dan vroeger, ze brengen namelijk veel tijd voor de buis door. Als de elektriciteit nu soms uitvalt, zijn ze verschrikkelijk lastig, vervolgde ze. Ook in andere huishoudens zitten kinderen overdag vaak televisie te kijken, er zijn dan voornamelijk tekenfilmpjes te zien. Deze komen weliswaar grotendeels uit de VS, maar zijn Spaanstalig. De vrouwen zelf kijken overdag ook graag televisie, maar doen dat eigenlijk alleen als ze op dat moment niets beters te doen hebben. Of ze combineren het kijken met de verschillende huishoudtaken, zoals Leonora bijvoorbeeld deed:

Leonora, 19 jaar, is de meeste tijd van de dag alleen in haar huisje met haar vijfjarige dochtertje en pasgeboren zoontje. "*Dat is soms wel saai, de hele dag in huis alleen met de kinderen. Gelukkig zijn er telenovelas*", verzuchtte ze eens. De televisie staat zo opgesteld in het slaapgedeelte dat ze hem vanuit haar kookhuisje kan zien. Ik was een keer bij haar terwijl ze de lunch bereidde. Er stond een telenovela aan. Om de paar minuten verliet Leonora haar vuur en verzette een paar stappen zodat ze kon zien wat er gaande was in de telenovela. Als het interessant was, bleef ze geleund tegen de deuropening van het kookhuisje staan kijken. Ik lachte hierom en zij lachte mee. Ze vertelde me dat wanneer ze buiten bij de waterbak haar was aan het doen is, ze ook om de zoveel tijd even naar binnen loopt om een blik te werpen op de tv. Ook bij Leonora komen regelmatig buurkinderen en -vrouwen langs om wat tv te kijken. Ik heb vaak kinderen of moeders met baby's voor haar televisie zien zitten terwijl Leonora zelf andere dingen aan het doen was. Als ze 's avonds alleen is, kijkt ze echter liever geen televisie, vertelt Leonora, omdat ze snel bang wordt van spannende scènes.

Terwijl de televisie aan staat, gebeurt er van alles. Het echte leven gaat gewoon door. Er wordt gewassen, gekookt, gegeten, koffie gemaakt en gedronken, gepraat en geluisterd, de was wordt gevouwen, kinderen rennen rond, buren komen binnen, kijken even mee en gaan weer weg. Zolang het toestel aan staat, is de aandacht van de kijkers verdeeld tussen de gebeurtenissen op het scherm en hun directe leefomgeving. Of beter gezegd, televisie maakt dan deel uit van hun directe leefomgeving. Zodra de televisie uit gaat, is alle aandacht onmiddellijk weer voor het 'echte' leven. De kijkers lijken vaak onmiddellijk te vergeten wat ze hebben gezien. Het heeft weinig tot geen relevantie binnen hun werkelijke, dagelijkse leven. Dit blijkt uit het feit dat, hoewel bijna iedereen dezelfde series volgt, de gebeurtenissen uit de telenovelas zelden onderwerp zijn van een gesprek.

Toen ik een vrouw vroeg of ze wel eens de telenovelas besprak met andere vrouwen, ontkende ze dat en legde ze me uit dat vrouwen weinig van hun terreintje afkomen en dus weinig met elkaar kunnen kletsen. Het is echter niet helemaal waar dat vrouwen elkaar amper spreken. De huisjes zijn allemaal redelijk open en niet ver van

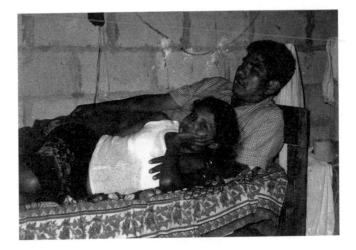

elkaar, dus buren kunnen vaak even babbelen. De meest 'legale' manier om bij elkaar over de vloer te komen, is om koopwaar aan te
bieden, vaak kleding of al dan niet bereid voedsel, en dit gebeurt dan
ook regelmatig. De meeste vrouwen vinden elke dag wel een reden
om even de straat op te moeten: even naar de winkel, hout halen, de
was doen in het meer. Wanneer de vrouwen elkaar spreken, zijn televisieprogramma's bijna nooit een onderwerp van gesprek. Ze bespreken de waren die een van hen aan de ander wil verkopen en
voorvallen uit hun directe leven: roddels over buren, geklaag over
echtgenoten, geldgebrek of lichamelijke klachten, de kinderen, een
ophanden zijnde bruiloft enz.

Op het eerste gezicht lijkt de televisie zich dus overdag weinig in
het dagelijkse leven van de vrouwen in El Remate te mengen. Bij nader inzien heeft de komst van de televisie echter wel degelijk bepaalde veranderingen in het dagelijkse dorpsleven teweeggebracht

Een 'delicatesse' in het privé-domein

Zodra vrouwen over een eigen televisie beschikken, gaan ze minder
vaak bij andere vrouwen op bezoek. 's Avonds blijven ze thuis om televisie te kijken. Ze *ontvangen* daarentegen meer bezoek zodra ze
een televisie in hun huisje hebben staan, van buren of familieleden
zonder televisie. Elke 'tv-loze' heeft een vast adres waar hij of zij
heengaat om televisie te kijken. Elk huishouden met televisie heeft
zo een bepaald aantal gasten dat geregeld langskomt. Aangezien de
meeste huishoudens ondertussen over een televisie beschikken, is
het aantal bezoekers dat regelmatig even binnenkomt om tv te kijken
niet zo groot.

Ik heb nooit iemand horen klagen over het feit dat er af en toe anderen langskomen en de huisjes betreden om televisie te kijken.
Deze bezoekers worden dan ook meestal niet als buitenstaanders ervaren, want ze behoren tot een beperkte kring van familieleden en
naaste buren, ofwel zeer goede bekenden. Het lijkt voor de bewoners
van El Remate vooralsnog een logisch gevolg van televisiebezit dat
er mensen van binnen die kleine kring van goede bekenden en zon-

der eigen televisietoestel op bezoek komen, met als specifiek doel het kijken naar de televisie.

De vrouwen die 's avonds of in het weekend langskomen om mee te kijken naar de televisie krijgen, net als de vrouwen die overdag langskomen voor een praatje, meestal niets te eten of te drinken aangeboden door de gastvrouw. Mannelijke familieleden – andere mannen komen zelden over de vloer – krijgen daarentegen door de vrouwen vaak wel wat aangeboden. Eliza nam meestal zelf wat eten en drinken mee wanneer ze met haar gezin naar haar moeders huis ging om televisie te kijken.

Regelmatig werd mij, als bijzondere gast, aangeboden om televisie te kijken. Dit was, naar ik kan inschatten, niet omdat dit de vrouwen een makkelijke manier leek om mij te vermaken of omdat ik hen anders tot last was, maar omdat televisiekijken in El Remate nog iets bijzonders is, een 'delicatesse'. Televisie is een relatief nieuw verschijnsel en de aanschaf ervan betekent een grote uitgave. Het is een prestigieus luxeartikel, een statussymbool. Ook hierom zullen televisiebezitters het niet erg vinden wanneer 'minder bedeelden' graag van hun televisie gebruik willen maken.

Voorheen hadden buitenstaanders niets te zoeken in de (slaap)huisjes. Dit was het privé-domein van het gezin. Zoals de inrichting al aangeeft, werd het slechts gebruikt om te slapen, zich aan of om te kleden en spullen op te bergen. De vrouwen bevonden zich overdag weinig in hun huisje. Deze zijn ook altijd donker van binnen en zien er rommelig uit. Als er bezoek kwam, werd dat logischerwijs meestal in de keukenruimte ontvangen, waar de vrouw des huize zich een groot deel van haar tijd bevindt. Deze ruimte is vaak deels open omdat het geen of maar halfhoge wandjes heeft en dus veel lichter en frisser is dan de slaapruimtes.

De televisie die tegenwoordig in veel van de huisjes staat opgesteld, heeft echter de functie van de huisjes veranderd. Niet langer dienen deze huisjes slechts om in te slapen of spullen op te bergen, maar voor intensiever dagelijks gebruik, namelijk televisiekijken en meekijkend bezoek ontvangen. Wat voorheen privé-domein van het gezin was, een plek waar buitenstaanders in principe niets te zoeken hadden en dus ook praktisch nooit kwamen, is door de televisie meer openbaar geworden.

Extra grote tortilla's

Tot vier jaar geleden, voor El Remate werd aangesloten op het elektriciteitsnet en er televisies in de hutjes verschenen, moeten de bewoners hun avonden op andere manieren hebben doorgebracht. Wanneer ik hier echter naar vroeg, leken ze zelf niet goed meer te weten wat ze voorheen 's avonds deden. "*Uhm, tja niks*", was het antwoord meestal. Pas als ik doorvroeg, kwam naar boven dat sommigen voor 25 *centavos* televisie keken bij iemand in het dorp die zijn apparaat van stroom voorzag door middel van een autoaccu of generator. Anderen gingen naar de kerk, bij elkaar op bezoek of vroeg naar bed.

De dorpen ten noorden van El Remate, dieper de jungle in, zijn nog niet aangesloten op het elektriciteitsnet. Toen ik Eliza eens naar de avondbesteding van deze mensen vroeg, voegde ze 'kaartspelen' aan het lijstje van alternatieven toe.

De avondbesteding van de bewoners van El Remate is in korte tijd wezenlijk veranderd. Moeiteloos is de televisie zodanig ingeburgerd dat niemand zich de tijden voor de komst ervan lijkt te herinneren. Maar ook op andere manieren verandert de dagindeling en tijdsbesteding van de dorpsbewoners onder invloed van de televisie. Gaya zegt bijvoorbeeld dat ze sinds de komst van de televisie veel minder zorg heeft voor haar '*sitio*', ofwel haar huis en terreintje. Vroeger nam ze meer tijd om alles uitgebreid te vegen, nu raffelt ze taken af om televisie te kunnen kijken. "*De televisie neemt nu veel van mijn tijd in beslag*", legde ze uit. Er is in El Remate een vast idee over hoe groot en dun tortilla's horen te zijn, vrouwen en meisjes houden zich over het algemeen streng aan deze maten. Wanneer Gaya echter niet op tijd klaar dreigde te zijn met het maken van tortilla's voordat haar favoriete telenovela begon, zei ze me op samenzweerderige toon dat ze de tortilla's extra groot ging maken, zodat het bakje maïsdeeg sneller leeg zou zijn.

Soms werd televisiekijken me beschreven als een '*pasar tiempo*' [tijdverdrijf], maar uit Gaya's woorden over hoe ze nu haar huishoudelijke taken afraffelt om televisie te kunnen kijken, blijkt dat het apparaat meer doet dan slechts de tijd verdrijven. Het verandert de tijdsindeling van de vrouwen. Huishoudtaken worden sneller uitgevoerd of minder vaak gedaan. 's Avonds wordt getracht op tijd te beginnen met koken, zodat er gegeten is wanneer de favoriete telenovela begint.

Praktisch niemand in El Remate beschikt over een horloge. De tijd wordt bijgehouden aan de hand van de bus die op min of meer vaste tijden toeterend door het dorp rijdt. Tegenwoordig fungeert echter ook de televisie als 'klok': ik had eens de afspraak dat mijn moeder om vier uur 's middags zou bellen naar de dorpstelefoon. Omdat ik ondertussen behoorlijk ontwend was geraakt aan vaste afspraken, vreesde ik deze afspraak te vergeten. Gaya zei geruststellend dat zij me wel zou waarschuwen, "*dan is namelijk 'Casos de la Vida*

Real afgelopen." Aan de programma's op televisie wordt nu dus ook de tijd afgelezen. De programmering is dan ook elke doordeweekse dag hetzelfde en eenvoudig: elk heel uur begint er een nieuw programma en de programma's worden regelmatig onderbroken door reclames voor andere programma's en hun uitzendtijd.

In El Remate maakt men zelden afspraken op een specifiek tijdstip, hoogstens ''s ochtends' of ''s middags'. De bus toetert zodra hij het dorp nadert, dus ook hiervoor hoeven de dorpsbewoners de tijd niet precies bij te houden. Echter, om niet het begin van een favoriete telenovela te missen, is het voor de vrouwen tegenwoordig wel van belang geworden om exact te weten hoe laat het is. Als ik 's avonds in mijn hut was, schreeuwde er soms een stem vanuit één van mijn buurhuisjes: "*Janne?*" [niemand waagde zich aan mijn volledige naam] – "*Ja!*" – "*Hoe laat is het?*" Dan keek ik op mijn horloge en schreeuwde net zo makkelijk door de planken wandjes terug. Meestal was het rond zeven uur, tijd voor de eerste avondtelenovela.

Ook op een andere manier vervormt de televisie het tijdsbesef. Weekenddagen zijn met de komst van de televisie opeens anders dan doordeweekse dagen. Officieel is de zondag anders dan de rest van de week, omdat mensen op deze dag niet mogen werken en naar de kerk moeten gaan. Maar de meeste dorpsbewoners trekken zich hier niet veel van aan en vullen hun zondagen net als elke andere dag. Mannen die een baan hebben en dus een vrije zondag, bewerken op deze dag vaak hun stukje land en zijn dus net als andere dagen van huis. Hoewel God eigenlijk een rustdag voorschrijft, hebben de vrouwen er weinig problemen mee deze dag de nodige huishoudelijke taken te verrichten. De komst van de televisie heeft echter een verschil gecreëerd omdat op zaterdag en zondag de programmering op tv volledig afwijkt van de doordeweekse dagen. Met name telenovelas die de doordeweekse avonden van de meeste vrouwen vullen, worden in het weekend gemist.

Het lichtpeertje en de rekening

Sinds de komst van de elektriciteit in het dorp hangt er in elk huis en elke keuken een lichtpeertje. Alleen wanneer de elektriciteit uit-valt, grijpt men 's avonds noodgedwongen terug op kaarslicht, dat veel minder goed licht geeft dan de elektrische lampen. Nadat op een avond de elektriciteit was uitgevallen, probeerde Gaya in het pik-kedonker haar weg te vinden naar het dichtstbijzijnde winkeltje om kaarsen te kopen. Met wat kaarsvet probeerde ze een kaars op de houten planken van haar keukenwand te zetten. Terwijl we aten, viel de kaars om en werd hij verschillende malen door de harde wind uit-geblazen. *"Pfff"*, verzuchtte Gaya, *"wat raak je toch snel gewend aan elektriciteit, dit is echt onhandig."*

Naast allerlei gemakken bracht de elektriciteit ook iets anders nieuws naar het dorp: een maandelijkse rekening. Deze wordt bij de huisjes bezorgd door iemand die hier door het elektriciteitsbedrijf voor is ingehuurd, want een postbode heeft El Remate niet. De reke-ning moet contant betaald worden bij één van de banken in Santa Elena. Het gezin van Gaya, dat een gemiddelde hoeveelheid stroom gebruikt met twee lampen, een televisie, een radio en soms een ge-leende blender, moest per maand zo'n veertig *quetzal* (4,5 euro) be-talen. Huishoudens die voor een kabelaansluiting hebben gekozen, beschikken over 12 extra netten, maar moeten hiervoor maandelijks zeventig *quetzal* extra betalen. Verschillende vrouwen zeiden me dat ze het kabelabonnement binnenkort toch maar weer op moesten zeggen, omdat de maandelijkse belasting hen zwaarder viel dan ze vooraf hadden beseft.

Tot voor kort waren de meeste geldtransacties heel lokaal, contant en direct. Lonen worden wekelijks of maandelijks cash uitbetaald. Waarna meestal direct de afbetaling van kleine, openstaande reke-ningen in de kruidenierswinkels van het dorp volgt. Degenen die betrokken zijn bij deze kleinschalige en contante geldtransacties zijn over het algemeen bekenden van elkaar. Niemand heeft een bankre-kening, betaalt huur, verzekeringen of loonbelasting. De maandelijks terugkerende papieren aanslag die in de stad verzilverd moet wor-den, is een nieuw fenomeen voor de bewoners van El Remate en het brengt hen een niveau verder in de wereld van de geldeconomie.

4. "Ah, las telenovelas!"

De wereld aan de andere kant van het scherm

Guatemala heeft vier publieke televisiezenders. Al deze zenders zijn eigendom van één man, een in Miami wonende Mexicaan, zwager van de Guatemalteekse minister van Communicatie. Er worden derhalve geen programma's uitgezonden die kritiek uiten op de Guatemalteekse regering. Veel programma's zijn afkomstig uit Mexico, maar ook uit de Verenigde Staten, die een grote binnenlandse Spaanstalige afzetmarkt hebben en daarom veel Spaanstalige programma's produceren. In El Remate worden slechts twee van de vier publieke Guatemalteekse zenders ontvangen. Op de kabel zijn Spaanstalige Noord-Amerikaanse kanalen te vinden en diverse Mexicaanse kanalen. Telenovelaseries worden meestal eerst op kabelnetten uitgezonden voordat ze op de publieke netten te zien zijn. Verder zijn er op de kabelnetten voornamelijk tekenfilms, series en films uit de VS te zien.

Op de publieke kanalen zijn elke doordeweekse middag van 12 tot 3 uur en 's avonds van 6 tot 10 uur voornamelijk telenovelas te zien. In totaal zijn er op de twee publieke netten dagelijks tien telenovela-afleveringen van een uur te zien. Op de andere tijden zijn er praatprogramma's, nieuwsuitzendingen en actualiteitenprogramma's. De telenovelas, maar ook enkele andere programma's, worden vaak op verschillende kanalen, op verschillende tijdstippen uitgezonden.

De onderwerpen die in nieuwsuitzendingen en actualiteitenprogramma's aan bod komen zijn veelal sensationele berichten over lokaal, kleinschalig menselijk leed in Guatemala en omliggende landen en soms de Verenigde Staten. Internationale, politieke kwesties worden zelden behandeld. De bewoners van El Remate kenden wel de naam 'Bin Laden', en maakten soms grapjes door bebaarde mannen zo te noemen. Maar ze wisten verder weinig over deze man, 'Afghanistan' zei hen bijvoorbeeld niets. Een vrouw vroeg mij eens bezorgd of mijn land dicht bij dat van Bin Laden lag. De nieuwsprogramma's staan wel eens aan, maar worden in de praktijk weinig actief bekeken. De vrouwen zeggen liever niet naar al die nare berichten te kijken.

De verschillende *talkshows* worden door de vrouwen met meer plezier bekeken. De vrouwelijke presentatoren zijn vaak zelf meer aan het woord dan hun gasten. Onderwerpen die hier aan bod komen, zijn bijvoorbeeld vrouwen die achter getrouwde mannen aan zitten of mannen met twee of meer vriendinnen. De items zijn standaard voorzien van 'schokkende' videobeelden van gasten die, bijvoorbeeld, zoenend met de moeder van hun partner zijn aangetroffen, zogenaamd gefilmd met een verborgen camera. Na het tonen van deze 'verborgen camera'-beelden wordt er gevochten door de verschillende gasten, waarna de boosdoener fel tegenstribbelend en onder luid gejoel van het publiek door bewakers de zaal wordt uitgeduwd.

Series (*Pacific Blue, Highlander, Xena*) en films, beide voornamelijk afkomstig uit de VS, worden vooral in het weekend uitgezonden. De kijkers in El Remate maken geen onderscheid tussen de series en films, beide worden *'peliculas'* [films] genoemd en beide worden met genoegen bekeken.

Wanneer ik de verschillende vrouwen uit het dorp vroeg naar hun favoriete programma op televisie, antwoordden de meeste echter vol overtuiging: *"Ah, las telenovelas!."* De telenovela is veruit het meest uitgezonden, best bekeken en meest geliefde genre op televisie. Mercedes vertelde me dat ze 'maar drie' telenovelas per dag volgde (wat echter niet wil zeggen dat ze ook daadwerkelijk de tijd had om dagelijks naar al deze series te kijken). Huishoudens zonder kabelaansluiting hebben 's avonds geen andere keuze dan te kijken naar telenovelas, maar ook degene die wel een kabelaansluiting hebben en dus beschikken over alternatieven, bekijken 's avonds meestal telenovelas.

Tussen al deze programma's door zien de vrouwen veel reclames en politieke campagnespotjes. Het gaat hier om een beperkt aantal reclames die steeds weer uitgezonden worden. Ten tijde van mijn

verblijf in El Remate waren dit reclames voor een schoenenwinkel, een paar restaurants in de hoofdstad, een Mexicaanse hamburgerketen, tandpasta, suiker, afslankmiddelen en bioscoopfilmtrailers. Naast deze reclames en politieke campagnespotjes zijn er tussen de programma's door prijsvragen over de verschillende telenovelas te zien.

De meeste reclames zijn gericht op de koopkrachtige urbane bevolking, niet op de arme plattelandsbevolking zoals de bewoners van El Remate. Deze lijken zich dan ook weinig aangesproken te voelen door de oproepen tot consumptie. De meeste reclames gaan over producten, winkels of restaurants die niet aanwezig zijn in de omgeving van El Remate. De reclames zetten verder weinig aan tot kopen omdat er meestal simpelweg te weinig geld is voor aankopen buiten het hoognodige. De dorpsbewoners worden zich echter wel bewust van bepaalde 'luxeartikelen', zoals bijvoorbeeld cola, dat wel in El Remate te krijgen is.

Sentimenteel en hartverscheurend

Telenovelas zijn van hetzelfde genre als soapseries. Het gaat om een vervolgverhaal: elke aflevering gaat door waar de vorige stopte. De primaire functie van telenovela is, net als bij de soapserie, het verkopen van een publiek aan adverteerders. Het publiek moet hiertoe vol aandacht naar de televisie blijven kijken, ook tijdens de reclameonderbreking, en zo veel mogelijk kijkers moeten gemotiveerd worden ook de volgende aflevering te bekijken. De telenovela is gebaseerd op een gemeenschap van onderling gerelateerde personages waarbinnen zich verschillende verhaallijnen ontplooien. Er wordt ingespeeld op de emoties van de kijkers, veelgebruikte thema's zijn de romantische liefde en simpele weergaven van goed versus kwaad.

Op een paar punten verschilt de telenovela echter van soapseries: telenovelas gaan niet eindeloos door, maar eindigen na een bepaald aantal maanden, waarna weer een nieuw verhaal, een nieuwe serie begint. Daarnaast zijn soapseries vooral gericht op een vrouwelijk publiek, terwijl telenovelas voor een breder publiek worden geproduceerd. Telenovelas hebben in Latijns-Amerika een hoog aanzien, ze worden over het hele continent *prime time* uitgezonden en door grote delen van de bevolking gevolgd. Er werken eersteklas acteurs, schrijvers en regisseurs aan mee en ze zijn als gevolg daarvan meestal van een hogere kwaliteit dan soapseries, die in het Westen een tweederangs status hebben. Verder is er in telenovelas meer aandacht voor religie, hekserij en magie dan in Westerse soaps.

Telenovelas worden geproduceerd in een aantal productiecentra in Latijns-Amerika. De grootste producenten zijn Brazilië en Mexico, maar ook in Venezuela, Argentinië, Chili, Colombia en Peru worden telenovelas gemaakt. Deze telenovelas worden vervolgens in groten getale geëxporteerd naar omliggende landen. Telenovelas zijn echter niet alleen in Latijns-Amerika gewild, ook aan Angola, China, de Filippijnen, Groot-Brittannië, Italië, Kroatië, Nederland, Polen, Portugal, Scandinavië, de voormalige Sovjet Unie, Spanje, en de Verenigde Staten zijn series verkocht. De grootste topper is wel de Mexicaanse telenovela 'Los Ricos Tambien Lloran' [Ook de rijken huilen], die ondertussen in 72 landen op televisie te zien is geweest. In Guatemala komen de meeste telenovelas uit Mexico.

Uit verschillende onderzoeken blijkt dat de meeste Latijns-Amerikanen telenovelas prefereren boven geïmporteerde televisieprogramma's uit het Westen. Voor bewoners van een klein jungledorp als El Remate komen zowel de Noord-Amerikaanse programma's als de Latijns-Amerikaanse telenovelas uit een verre, andere wereld, namelijk de wereld van de moderne, grote stad. Maar de telenovelas staan door hun taal en culturele achtergrond dichter bij deze Guatemalteekse kijkers dan de Noord-Amerikaanse series en films. De grote populariteit van telenovelas in (onder andere) rurale gebieden geeft aan dat media-invloed niet per sé uit het Westen afkomstig hoeft te zijn.

In de loop der tijd heeft elk producerend land een eigen nationale telenovela-stijl ontwikkeld. De Mexicaanse telenovelas staan bekend om hun sentimentele, hartverscheurende en soms hoogst onwaarschijnlijke verhaallijnen en karakters en het gebrek aan specifieke, historische verwijzingen. De Braziliaanse telenovelas worden als 'realistischer' beschouwd vanwege hun complexere personages en het gebruik van specifiek Braziliaanse thema's, culturen, karakters, historische en hedendaagse gebeurtenissen. De producenten van de Braziliaanse telenovelas beschikken over het grootste budget van heel Latijns-Amerika en dat is te zien aan de hoge kwaliteit en luxueuze settings van de series. De telenovelas uit andere landen liggen meestal tussen deze twee extremen in.

Tijdens mijn verblijf in El Remate werd de telenovela 'Las Vias del Amor' [De Wegen van de Liefde] veruit het meest bekeken. Op de publieke zender werd deze serie om zeven uur 's avonds uitgezonden. Dit is in El Remate *prime time*, het is dan al een uurtje donker, men heeft gegeten en is klaar om tv te kijken. Als er na 'Las Vias del Amor' nog puf is, kijken vrouwen ook graag volgende telenovelas, maar soms vallen ze voor het einde daarvan al in slaap. Op twee kabelnetten was de serie ook te volgen, op latere tijdstippen en in een verder gevorderd stadium van het verhaal. In verschillende huishoudens werd de serie dus in verschillende fases gevolgd.

'Las Vias del Amor' *[De Wegen van de Liefde]*

De hoofdpersoon van deze novela is Perla, een mooi meisje van twintig dat met haar ouders en halfbroer in een stad aan de Mexicaanse kust woont. Ze werkt hier als serveerster in een restaurant dat eigendom is van de rijke Don Jeronimo. Deze oudere man is verliefd op Perla en wil niets liever dan met haar trouwen. Zijn hulpje/bodyguard vermoordt daarom de verloofde van Perla en dreigt later ook Perla's vader te vermoorden als zij weigert te trouwen met baas Don Jeronimo. Perla ziet geen andere optie dan in te stemmen met een huwelijk, tot ontsteltenis van haar (goede) vader en vreugde van haar (slechte) moeder en halfbroer, die op deze manier ook zichzelf hopen te verrijken.

Echter, de drinkende en drugsgebruikende zoon van Don Jeronimo is ook verliefd op Perla. Op de huwelijksavond van Perla en zijn vader doet hij een slaapmiddel in hun champagne. Die avond sluipt hij de bruidssuite binnen en steekt zijn slapende vader dood. Hij zorgt ervoor dat Perla's vader van de moord verdacht wordt. Deze goedaardige man wordt gearresteerd, maar kan ontsnappen en vlucht naar de hoofdstad.

Ziek en zonder geld zwerft Perla's vader door de straten van Mexico City. Uiteindelijk mag hij bij iemand een telefoontje plegen en kan hij Perla vertellen waar hij zich bevindt. Onmiddellijk vertrekt Perla met een goede vriend van haar vader

naar de hoofdstad om haar vader te helpen. Maar nog voor de oude man hun afgesproken ontmoetingsplek bereikt, stort hij in en wordt hij weggevoerd.

Perla en haar helpende vriend hebben weinig geld en proberen werk te vinden om hun zoektocht naar Perla's vader te kunnen voortzetten. Ondertussen heeft een vriendelijke vrouw zich ontfermd over de zieke en hongerige vader.

Al haar hele leven heeft Perla soms voorspellende visioenen. Het zijn korte flitsen met vage beelden van iets dat in de nabije toekomst staat te gebeuren. Zo voorzag Perla de moord op haar verloofde en later die op haar nieuwe echtgenoot, al kon ze de steeds terugkerende visioenen vol messen en bloed niet goed interpreteren.

In Mexico City woont ook Gabriel, een rijke, zachtaardige man van 32 jaar. Gabriel en Perla komen elkaar voor het eerst tegen wanneer ze op een dag in dezelfde lift van een hotel in Mexico City staan. Perla krijgt hier een visioen over Gabriel en voorspelt hem dat hij binnenkort een verloren familielid zal terugvinden. Gabriel is erg onder de indruk van Perla en haar voorspelling. Later komen de twee elkaar door hun werk weer tegen en er groeit een hechte vriendschap tussen hen. De vriendschap verandert langzaam in verliefdheid. Er zullen echter nog allerlei obstakels overkomen moeten worden voor deze twee goede hoofdpersonen eindelijk trouwen en voor altijd gelukkig zijn ...

De liefde tussen Perla en Gabriel is de hoofdverhaallijn van 'Las Vias del Amor', maar zeker niet de enige verhaallijn. Zoals alle soap-series en telenovelas draait deze serie om een gemeenschap van personages die op verschillende manieren met elkaar te maken hebben of krijgen. De snelle afwisseling van de ontwikkelingen van de verschillende verhalen en het samenkomen van de verschillende verhaallijnen houden de afleveringen voor de kijkers spannend en aantrekkelijk.

In de laatste scène van een aflevering wordt de spanning extra opgebouwd om kijkers nieuwsgierig te maken naar de volgende uit-

zending. Wanneer ik 's avonds niet bij Gaya '*Las Vias del Amor*' had gekeken, kwam ze me de volgende dag vaak vertellen wat ik gemist had. Het belangrijkste punt om te vertellen leek dan voor haar deze laatste scène. "*En que se quedó?*", probeerden zij en haar dochtertje zich te herinneren: 'hoe is het geëindigd?'

Eigen zwembad en oprijlaan

Telenovelas spelen zich voornamelijk af in steden of in en rond luxe landhuizen, in ieder geval niet op plekken waar mensen in hutjes wonen, op houtvuur koken, in het meer hun was doen en op plastic slippers over modderpaadjes lopen, zoals in El Remate. Veel personages in de telenovelas bewonen enorme villa's met veel kamers, veel meubilair, een grote tuin, al dan niet voorzien van eigen zwembad en oprijlaan, en bedienend personeel. De scènes spelen zich af in luxe huiskamers, slaapkamers of tuinen van deze grote villa's, in dure auto's, restaurants of nachtclubs. Ook de minder rijke personages wonen in keurige appartementen, met mooi geverfde muren, glazen ramen, bij elkaar passend meubilair, een aparte keuken met koelkast, gasfornuis, magnetron enz. In één telenovela, '*Entre el Amor y el Odio*' [Tussen de Liefde en de Haat], speelde een 'erg arme'

jonge vrouw, maar zij was qua uiterlijk en woonomstandigheden
nauwelijks te onderscheiden van de rijkere personages.

Wat telenovelas dus verbeelden is een modern en rijk stadsleven.
Uiterlijke kenmerken van dit moderne stadsleven die duidelijk terug
te vinden zijn in de telenovelas zijn de grootschaligheid; de geasfalteerde straten vol dure auto's; grote betonnen huizenblokken, villa's
en flats; technologische apparatuur; modieus geklede en uitermate
verzorgde mensen. Andere algemeen gebruikte typeringen van 'modern stadsleven', kenmerken die meer gaan over de instelling of het
gedrag van mensen, komen in de telenovelas echter weinig dan wel
afkeurend aan bod, zoals individualisering, anonimiteit of het kapita-
listisch nastreven van persoonlijke rijkdom. De nadruk van telenovelas ligt juist op interpersoonlijke contacten en de moraal is vaak dat
liefde tussen mensen belangrijker is dan materiële rijkdom.

Van elke intrige wordt gesmuld

In het geval van telenovelas, maar ook bijvoorbeeld soapseries in
Egypte of India, is er een groot verschil tussen de wereld die in de
series wordt verbeeld en de leefwereld van de plattelandsbevolking
of arme stedelijke arbeidersbevolking die de series zo graag bekijkt.

Uit verschillende studies naar deze discrepantie wordt duidelijk dat de aantrekkingskracht van de series ligt in herkenning op andere punten. De sociale agenda van de series, zo schrijven de verschillende onderzoekers, komt overeen met fundamenteel menselijke, universeel herkenbare emoties zoals haat, liefde en jaloezie. Dit biedt kijkers mogelijkheden tot identificatie. De dagelijkse problemen die in de series ruim aan bod komen, bijvoorbeeld familieproblemen, zijn vaak ook voor dorpsbewoners zeer herkenbaar. Kijkers bemerken dat hun dagelijkse zorgen tot op bepaalde hoogte gedeeld worden door anderen.

Belangrijke thema's in de telenovelas zijn liefde, passie, verleiding, verraad, overspel, jaloezie, bedreiging, wraak, geweld: zogenaamde 'universele thema's'. Ontvoeringen, moorden, verwisselde baby's etc. zijn weliswaar geen normale zaken (meer) in El Remate, maar genoeg andere thema's uit de telenovelas zijn dat wel. Overspelige partners, buitenechtelijke zwangerschappen, verlaten worden, ruzie, mishandeling en verslavingsproblematiek zijn voorbeelden van thema's uit telenovelas waar de bewoners van El Remate zelf of in hun directe omgeving ook mee te maken kunnen krijgen.

Telenovelas draaien dus om een klein aantal mensen die stuk voor stuk te maken krijgen met voor de meeste kijkers herkenbare problemen en vreugdes. Alle intriges worden door de camera op de voet gevolgd, de kijkers kunnen alle gebeurtenissen van dichtbij mee beleven en alle personages goed in de gaten houden. In feite is de telenovela één groot samenraapsel van roddels, kant en klaar op een blaadje geserveerd. Het genre sluit op deze manier nauw aan bij enkele fundamentele onderdelen van het lokale dorpsleven, namelijk het leven in een kleine gemeenschap, de grote belangstelling voor andermans leven en de roddelcultuur. De telenovela vormt op deze manier een verlengstuk van de sociale realiteit van El Remate.

Van de verschillende mogelijke contacten met de buitenwereld (bijvoorbeeld kranten, toeristen of andere tv-programma's), tonen de dorpsvrouwen voornamelijk interesse in de telenovelas. Blijkbaar sluiten deze het meeste aan bij wat hen boeit en aanspreekt. Hoewel de series zich afspelen in settings die ver afstaan van de dagelijkse realiteit van de dorpsbewoners, blijken de telenovelas op andere vlakken dus juist in sterke mate aansluiting te vinden bij de lokale dorpscultuur.

Telenovelas bieden zelfs nog een extra voordeel op roddels in het echte leven. De gebeurtenissen in de telenovelas zijn voor de bewoners van El Remate op geen enkele manier bedreigend, zoals lokale gebeurtenissen en roddels daarover dat wel kunnen zijn. De kijker hoeft niet te vrezen dat op een bepaald moment zijn of haar eigen handelingen beoordeeld zullen worden. De intriges op televisie zijn een veilig gebied, er kan van genoten worden zonder enig risico op persoonlijke consequenties.

"Het zijn allemaal leugens hoor"

Gaya zei mij op een ochtend bij het ontbijt: *"Ach, die arme vader van Perla is gisteren toch zo gevallen."* Ze praatte over de man alsof hij een bekende van haar was, een man waar ze oprecht medelijden mee had. Blijkbaar worden de telenovela-karakters op sommige momenten ervaren als werkelijke mensen met werkelijke levens en werkelijke pijn. Over het algemeen waren de kijkers in El Remate zich echter wel degelijk bewust van het feit dat het hier geen echte mensen betrof, maar personages gespeeld door acteurs. *"Het zijn allemaal leugens hoor"*, stelde Mercedes mij gerust toen ik voor het eerst bij haar een telenovela-aflevering bekeek, *"elke lach en elke traan is een leugen."* Ook Dominica zei mij eens spontaan: *"Ik weet best dat het niet echt is, dat het acteurs zijn die gewoon hun werk doen."*

Omdat de telenovela-series slechts enkele maanden duren, zijn beroemde acteurs steeds in andere series te zien. De kijkers lijken er plezier aan te beleven om niet alleen extra informatie te kunnen geven over karakters binnen een bepaalde telenovela, maar ook over de werkelijke mensen achter deze personages. Salvador wist mij en Gaya bijvoorbeeld te vertellen dat Gabriel, de knappe hoofdpersoon uit *"Las Vias del Amor"*, in het echte leven getrouwd is met een lelijke vrouw (waarna Gaya zei: *"Ah, nu begrijp ik waarom hij in de telenovelas altijd zo graag mooie vrouwen kust..."*) en dat Perla, de vrouwelijke hoofdpersoon, in haar echte leven nog nooit getrouwd was geweest. Hij haalt dergelijke achtergrondinformatie uit verschillende programma's op tv waarin bekende acteurs geïnterviewd of besproken worden. In het hotel waar hij werkt, staat een televisie met kabelaansluiting waar hij veel naar kijkt als er geen toeristen te bedienen zijn. Gaya had meestal geen tijd om andere programma's dan haar favoriete telenovelas te kijken en kende dus minder achtergrondinformatie bij de acteurs. Wat ze wel wist en graag vermeldde was welke andere personages een bepaalde acteur of actrice al eerder gespeeld had in andere telenovela-series. De acteurs en actrices, de 'echte mensen' achter de personages, worden op deze manier losgekoppeld van de karakters die zij in de telenovelas spelen.

De vrouwen in El Remate hebben de afgelopen paar jaar heel wat telenovela-series gezien en hebben door deze ervaring bepaalde verwachtingen over het verloop ervan. Ze hebben een wereld leren kennen waarbinnen bepaalde factoren altijd hetzelfde zijn, waarbinnen bepaalde regels gelden. Verschillende malen heb ik vrouwen elkaar of mij bijvoorbeeld horen garanderen dat de goede hoofdpersonen uit een novela niet dood kunnen gaan. *"Ze zullen veel moeten doorstaan, maar ze gaan nooit dood, nooit"*, zei Dominica mij stellig. Uiteindelijk komt altijd alles goed en trouwt de hoofdpersoon met zijn of haar grote liefde, weten de vrouwen. Toen ik eens met Gaya en Valentina een aflevering van *"Las Vias del Amor"* keek, vertelde Valentina dat ze op een kabelnet had gezien dat een verbitterd en gemeen personage in een latere fase van de serie ergens erg van zou schrikken en in het ziekenhuis zou belanden. *"Wie weet gaat ze dood"*, voegde ze er aan toe. *"Ja, ze gaat dood"*, antwoordde Gaya overtuigd, *"in telenovelas gaan de slechten aan het einde altijd dood."* Een uitleg over een verhaallijn of thema werd vaak onderbouwd met *"zo is het altijd in telenovelas"*. Volgens de vrouwen volgen de verwikkelingen een bepaald patroon dat specifiek eigen is aan het genre van de telenovela. De verhaallijnen staan voor hen dus los van de werkelijke wereld waarin zijzelf leven.

De *verhaallijnen* van de telenovelas zijn volgens de vrouwen 'leugens' ofwel fictief, verbeeld door acteurs die hiervoor worden betaald. Echter, uit bepaalde uitspraken blijkt heel duidelijk dat de

wereld waarín die verhaallijnen zich afspelen, de wereld waarin de
acteurs zich bewegen, door de vrouwen wel degelijk als afspiegeling
van een werkelijke wereld wordt beschouwd. In deze uitspraken
komt tevens heel duidelijk naar voren op welke praktische manier televisie, als 'venster op de wereld', het leven van bewoners van een redelijk afgelegen jungledorp als El Remate kan beïnvloeden. Over het
algemeen is het erg moeilijk een definitief verband te leggen tussen
het denken en handelen van mensen en de wijze waarop en mate
waarin televisie hier van invloed op is. Deze beïnvloeding is meestal
te subtiel en te zeer ingebed in een geheel vol andere factoren die
ook een rol kunnen spelen bij sociale veranderingen. In de volgende
uitspraken wordt deze directe beïnvloeding van het dagelijkse leven
door televisiebeelden echter heel duidelijk verwoord.

Gaya vertelde: "*Door de televisie weet ik hoe anderen leven en
daardoor kan ik hen beter van dienst zijn. Ik zie op tv in wat voor
huizen zij* [toeristen] *gewend zijn te leven, alles is daar netjes op
orde. Terwijl het hier, kijk mijn keuken, helemaal niet netjes op
orde is. Zij hebben bijvoorbeeld servethouders op tafel staan. In
mijn restaurantje had ik het wel op orde. Ik zette servethouders op
tafel, en bestek in een servet naast het bord. Als ze water bestel-
den, gaf ik het in een kan met een leeg glas erbij.*" Gaya legde een
link tussen de wereld in de telenovelas (en andere televisieprogramma's, bijvoorbeeld films) en de wereld waar de toeristen vandaan komen. Ze is van mening dat ze toeristen nu beter begrijpt en hun dus
betere service kan bieden, omdat ze via de televisie inzicht heeft ver-
kregen in hun achtergrond en verwachtingen.

Mercedes zag een soortgelijk voordeel in telenovelas, mocht ze namelijk ooit als huishoudster bij rijke mensen gaan werken, dan weet
ze tenminste een beetje hoe het moet, zo zei ze. Hoe geordend en
schoon de huizen zijn, hoe ze met een dienblad moet lopen. "*Imagi-
nese!*" zei Mercedes, "*daar moet alles echt spic en span. Als een glas
nog een beetje vies is, ontslaan ze je zo. Als ik daar zou komen,
zou ik echt niet weten hoe alles moet. Door tv weet ik wel een
beetje hoe zij leven. Maar als ik me bedenk dat ik met een dienblad vol glazen moet lopen, op van die nette schoenen, oei, ik*

vrees dat ik alles zou laten vallen. Kijk naar mijn keuken [hier zaten we te praten]*, ik ben zulk leven niet gewend."*

Waar precies de grens ligt tussen het realisme van de wereld op televisie en fictie is de vrouwen niet altijd even duidelijk. Tijdens het kijken van de *fantasy*-serie *Xena* vroeg Gaya me of de paardmannen *(centauris)* die in deze aflevering voorkwamen, echt bestonden. Hoe zou ze ook moeten weten dat de paardmannen en het bijzonder geklede volk uit de serie niet echt bestaan?

"De mensen zijn daar anders"

Zo'n veertien kilometer ten noorden van El Remate ligt het dorpje Zocotzal. Dit dorp is nog niet aangesloten op het elektriciteitsnet en heeft dus geen televisie. Ik vroeg verschillende vrouwen in El Remate of ze vonden dat de mensen in dat dorp anders waren, aangezien ze daar geen televisie konden kijken. De vrouwen bevestigden allemaal dat de mensen daar anders zijn. De bewoners van Zocotzal werden vervolgens omschreven als onwetender en naïever. Eliza zei hierover: *"Ja, mensen zijn daar anders, 'ignorante'. Ze weten veel minder, zelfs tot en met eten koken weten ze minder. Als ik geld heb, kan ik van alles klaar maken, maar zij niet. Een gordeldier bijvoorbeeld maken ze maar op één manier klaar. Ze weten veel minder. De jongens zien wel wat meer dan hun eigen dorp. Die gaan soms naar andere dorpen als daar bijvoorbeeld een dansfeest is. Maar de vrouwen, die niet. Die zijn inderdaad anders, je ziet het aan ze."* Vergeleken bij de inwoners van Zocotzal beschouwden de vrouwen uit El Remate zichzelf als heel wereldwijs. Door de televisie weten ze nu meer over de wereld, zeiden ze.

Uit de verschillende uitspraken van de vrouwen wordt duidelijk dat zij de telenovelas en andere televisiebeelden niet als volledig fictief beschouwen, ondanks het feit dat de wereld die ze op tv zien een wereld is die de meesten van hen nog nooit in het echt hebben gezien en die in veel opzichten sterk verschilt van hun eigen leefwereld. De vrouwen menen dat telenovelas, series en films tot op zekere hoogte een werkelijk bestaande wereld verbeelden en dat ze

door de televisie kennis vergaren over de wereld buiten de voor
hen bekende omgeving.

Er is onder de dorpsbewoners dus een opkomend besef van andere werelden en andere leefstijlen. Dat dit besef nog beperkt is,
blijkt uit de verbazing van veel van mijn gesprekspartners (voornamelijk de vrouwen, die normaliter weinig in gesprek komen met
buitenstaanders) wanneer ik ze vertelde dat men in Nederland nooit
tortilla's bij de maaltijd eet of dat er een andere taal dan Spaans wordt
gesproken.

"Zij zullen nog veel meer weten dan ik"

De opmerkingen van Gaya, die meent dat ze nu begrijpt wat toeristen gewend zijn en hen daarom beter van dienst kan zijn, en Eliza,
die zegt nu meer van de wereld te weten en als voorbeeld geeft dat
ze nu meer kookwijzen kent, geven duidelijk aan dat de vrouwen
menen verder te komen door het kijken van tv. Ook andere vrouwen
hebben me expliciet gezegd dat ze van mening zijn dat ze van de televisie 'leren'. Ze noemden als voorbeelden *como a ordenar la
casa*, ofwel hoe hun huis te ordenen, 'hoe je te kleden', 'nieuwe
woorden', 'netjes spreken'. Mercedes voegde toe: "*Mijn kinderen
groeien op met televisie, zij zullen nog veel meer weten dan ik.*" Zij
meent dus dat het kennisniveau van haar kinderen zal toenemen
naarmate deze meer televisie kijken. Dit komt overeen met de una-
nieme mening van de vrouwen dat de bewoners van Zocotzal ach-
terliggen in hun algemene ontwikkeling op de bewoners van El Remate door hun gebrek aan televisie.

Uit de woorden van deze vrouwen blijkt een discours van accumu-
latie, een veronderstelling van vooruitgang, van ontwikkeling als gevolg van het kijken naar de televisie. Dit 'leren' van de televisie houdt
echter niet per se in dat de vrouwen de andere leefstijlen die ze
zien, overnemen of willen overnemen. Gaya wist door de tv hoe ze
toeristen het beste kon bedienen, in haar restaurantje paste ze deze
nieuwe gebruiken toe. Haar eigen huisje en keuken waren echter ander terrein en bleven net zo 'ongeordend' als voorheen, hier versche-

nen geen servethouders op tafel. Ook in de huisjes van de andere vrouwen die zeiden van tv te leren 'hoe een huis geordend moet worden', zag ik geen pogingen de huisinrichting van televisie over te nemen.

Ik vroeg Eliza eens of ze een leven zou willen als in de telenovelas. "*Wat?*" vroeg ze eerst onbegrijpend. Deze optie was blijkbaar nog nooit in haar hoofd of in gesprekken met anderen opgekomen. Nadat ik de vraag wat had toegelicht, waarbij ik voornamelijk nadruk legde op uiterlijkheden zoals grote huizen en mooie kleding, zei ze: "*Uhmm, ik zou wel veel geld willen hebben, maar ik hoef niet echt mooie kleren. Ik koop nooit dure kleding, ik zoek altijd goedkope kleding. Ik weet niet, ik vind het niet zo belangrijk. Als ik maar een huis heb en genoeg maïs.*" De grote villa's en mooie kleren waren voor haar blijkbaar niet begerenswaardig. Als ze maar geen zorgen over eten hoefde te hebben, dan was ze tevreden, meer hoefde niet.

"De stad" werd door de dorpsbewoners niet zozeer geassocieerd met het luxe leven zoals dat in de telenovelas verbeeld wordt, maar voornamelijk met het feit dat daar, volgens hen, alles gekocht moet worden, hierbij dacht men voornamelijk aan voedsel en brandhout. Daarnaast beschouwen de dorpsbewoners de grote stad ook als onveilig, een plek vol vreemden, vol verkeer, waar je je kinderen niet zomaar op straat kunt laten spelen. Niemand wilde graag naar de stad verhuizen. Iedereen, ook de jongeren die ik hierover heb gesproken, zei liever in El Remate te blijven "*bij je familie, die je kan helpen in geval van nood.*" Ernstige geldnood lijkt de enige reden om El Remate (tijdelijk) te verlaten.

Het feit dat de vrouwen alternatieven leerden kennen door de televisie wil dus niet zeggen dat ze deze allemaal wilden toepassen binnen hun eigen leven. De confrontatie met de andere levensstandaard op televisie wekt niet per sé verlangen op naar een leven met veel geld of een leven in de stad. Met 'leren' bedoelen de vrouwen blijkbaar niet zozeer dat ze het verbeelde leven als voorbeeld nemen voor hun eigen levens en zich hiertoe willen ontwikkelen. Met 'leren' doelen de vrouwen er meer op dat ze menen door de tv kennis te vergaren over de wereld buiten het dorp. Hun horizon verbreedt

zich, ze leren andere leefstijlen kennen en achten deze nieuwe kennis voornamelijk bruikbaar bij de omgang met toeristen en in het geval dat ze ooit als dienstmeisje in een grote stad mochten gaan werken.

Hoofdpijn en verslaving

Hoewel de vrouwen graag televisiekijken en menen dat zij en hun
kinderen hier wijzer van worden, waren ze niet uitsluitend positief
over de televisie. Ana klaagde over het lawaai van het apparaat dat de
hele dag aanstond en de ruzies die over de programmakeuze werden
gemaakt. "*Soms krijg ik er zo'n hoofdpijn van dat ik mijn man
vraag of hij de kinderen wil gebieden de televisie uit te zetten*", zei
ze met een diepe zucht. Volgens Mercedes zijn kinderen nu opstandi-
ger dan vroeger door de televisie. Ze moet vaak de opdrachten die
ze haar kinderen geeft een paar keer boos herhalen voordat deze
achter de televisie vandaan komen om bijvoorbeeld te helpen met
hout sprokkelen, een boodschap doen of af te wassen. "*Vroeger waren kinderen timide*", zegt Mercedes, "*nu zijn ze veel luidruchtiger
en ondeugend.*" Haar kinderen doen hun huiswerk bijna niet meer
omdat ze alleen maar televisie willen kijken, klaagt ze verder. In alle

dagen die ik bij haar heb doorgebracht, heb ik haar echter nooit horen bevelen dat de televisie uitgezet moest worden.

Eliza maakte zich zorgen over het feit dat kinderen op jonge leeftijd op tv kunnen zien wat er op seksueel gebied tussen een man en vrouw kan gebeuren. Hun ziel wordt te vroeg wijs, meent ze. Verder vreesde ze dat vrouwen een verkeerd voorbeeld nemen aan overspelige vrouwen op televisie. *"Maar als je televisie gewoon gebruikt als tijdelijke afleiding, dan is er niks ergs aan"*, voegde ze toe. Mercedes klaagde over de verslavende werking van de telenovelas. Zelf wilde ze op een gegeven moment niets anders meer dan telenovelas kijken, vertelde ze.

De vrouwen staan dus ook kritisch tegenover de televisie. Ze lijken echter het gevoel te hebben weinig tegen de aantrekkingskracht en soms 'verderfelijke' invloed van de tv te kunnen beginnen. Het ding is in hun leven gekomen en heeft zijn eigen krachten. De vrouwen lijken de televisie te ervaren als iets dat hen overkomt, niet als iets waar zij macht over kunnen hebben, hoogstens kunnen ze hun man erbij roepen om in de ergste gevallen in te grijpen.

Vloedgolf

De bewoners van El Remate worden niet overspoeld door een vloedgolf van allerlei verschillende, nieuwe televisiebeelden. Ze maken een keuze uit het aanbod van diverse televisieprogramma's en kijken voornamelijk naar de telenovelas. Media-invloed wordt in die zin dus beperkt omdat de dorpsbewoners slechts van bepaalde, cultureel aansluitende mediavormen gebruikmaken.

Door het kijken naar de telenovelas komen de vrouwen uit El Remate regelmatig in contact met een ander soort leven, het moderne stadsleven. Deze confrontatie wekt bij hen echter geen verlangen op naar een dergelijk leven. Toch blijken bepaalde elementen van het moderne leven zoals op televisie geportretteerd, door de vrouwen in El Remate beschouwd te worden als nastrevenswaardig alternatief.

5. Romantische liefde

"We human beings are narrative animals – story-telling creatures. And the dream of romantic love is one of our favorite stories." (James Park, 2003)

In telenovelas staan twee soorten discoursen centraal: de discoursen over persoonlijke relaties, familiebanden en romantische liefde en de discoursen over klasse en klassenonderscheid. Frictie tussen deze twee elementen, bijvoorbeeld de moeilijke liefde tussen een man en vrouw van verschillende standen, vormt vaak de hoofdverhaallijn van een novela.

Gente de alta sociedad

De bewoners van El Remate hebben in hun naaste omgeving weinig te maken met een hogere klasse. Op wat hoteleigenaren na die vanuit de stad of het buitenland naar El Remate zijn gekomen, heeft niemand in het dorp veel geld. Sommige bewoners zijn in de afgelopen jaren in staat geweest een betonnen huis te bouwen, anderen leven nog in een houten hutje, maar hopen ook eens een huis van beton op hun terreintje neer te zetten. De meeste bedrijfjes – slager, kleine kruidenierswinkel, fietsenmaker, restaurant – in het dorp zijn eenmans- of eigenlijk gezinsbedrijfjes. Slechts enkelen hebben dorpsgenoten als werknemer in dienst, maar nooit veel. De burgemeester van het dorp, om maar een mogelijke elite te noemen, is van dezelfde klasse als de rest van de dorpsbewoners. Hij heeft een kleine winkel en is, een beetje tegen zijn zin, tijdens een dorpsvergadering aangesteld als burgemeester, wiens taak in de praktijk voornamelijk bestaat uit het rondbrengen van de sporadische post. Klassenonderscheid speelt geen grote rol in het dagelijkse leven van El Remate. Dit onderwerp in de telenovelas leek de dorpsbewoners dan ook weinig aan te spreken. Slechts één vrouw merkte eens iets op over de eliteklasse in de telenovelas. Zij vertelde me dat er in telenovelas altijd *gente de alta sociedad* [mensen van hoge klasse, *high society*] zijn. Zij hebben geld, kleden zich netjes en spreken hun woorden goed uit, beschreef ze. Ze legde er de nadruk op dat dit *in telenovelas* zo is. Ik vroeg haar toen of zulke elites niet ook in het echte leven zullen bestaan. "*Nee*", antwoordde ze eerst. Toen was ze stil, dacht na en zei even later: "*Nou ... misschien toch, want ze praten in het echte leven ook wel eens over families die niet willen dat hun zoon met een arm meisje trouwt*". Het klassenverschil dat door deze vrouw in de telenovelas werd opgemerkt, werd door haar dus aanvankelijk niet verbonden aan het echte leven.

De droom van '*upward mobility*', een wezenlijk element van veel telenovelas, vindt weinig aansluiting bij de belevingswereld van de dorpsbewoners van El Remate, hun focus in het heden en voor de toekomst ligt meestal binnen de grenzen van het dorp. Ze spraken weliswaar enkele keren over de andere, luxere leefstijlen die ze zagen op televisie, maar hieruit bleek geen bewustzijn over onderdrukking of oneerlijkheid. Zoals gezegd werd de luxewereld van televisie door de dorpsbewoners niet ervaren als voor henzelf mogelijk of zelfs begerenswaardig. De boodschap in veel telenovelas is dan ook dat geld niet per sé gelukkig maakt, zoals blijkt uit de titel van één van de meest geëxporteerde telenovelas: "*Los Ricos Tambien Lloran*" [Ook de rijken huilen].

Een ander kernelement van de telenovelas bleek de vrouwen in El Remate echter wel in grote mate aan te spreken, namelijk het thema van de romantische liefde en de hoge waardering daarvan in de telenovelas. In de telenovelas wordt het huwelijk vaak als ideaal, als droom, als streven voor vrouwen afgeschilderd. Echter niet het huwelijk 'an sich', maar een huwelijk uit liefde, uit wederzijdse, romantische liefde. De plot van veel telenovelas is te reduceren tot de simpele verhaallijn van een man en vrouw die zich door veel moeilijkheden moeten worstelen om uiteindelijk samen te kunnen zijn. Romantische liefde is de drijfveer achter veel handelingen in de telenovelas. De luxe levensstandaard in de telenovelas werd door de kijkers in El Remate niet gerelateerd aan hun eigen leven. Het thema van romanti-

sche liefde bleek de vrouwen daarentegen wel in grote mate te intri-
geren en aan te spreken met betrekking tot hun eigen leven.

De Liefde in El Remate

In telenovelas wordt er een specifieke invulling en waarde gegeven
aan het concept van romantische liefde en de daaruit volgende relaties. Om te begrijpen hoe de kijkers in El Remate deze invulling en
waardering interpreteren, is het van belang een beeld te vormen van
de sociale realiteit waarin de boodschappen van de telenovelas te-
rechtkomen. Het dagelijkse leven van de vrouwen in El Remate wordt
in sterke mate bepaald door de heersende verhouding tussen mannen en vrouwen. Zowel de aanwezigheid als de afwezigheid van
mannen heeft grote gevolgen voor het dagelijkse leven van de vrouwen, zoals blijkt uit de levensverhalen van de verschillende vrouwen.

Mercedes

Mercedes was vijftien jaar toen ze zwanger raakte: *"niemand
had me ergens iets over verteld, ik was zo boos!"* Volgens
Mercedes had men uit schaamte nagelaten haar over het nodige in te lichten. Haar zeventienjarige vriend bouwde een simpele hut waar het jonge gezin introk. Mercedes wist niets over
het verzorgen van baby's, ook hierbij voelde ze zich aan haar
lot overgelaten.

Hoewel Mercedes beweert dat ze in deze tijd een anticon-
ceptiepil slikte, volgden de zwangerschappen elkaar snel op.
Elke keer was ze nog kwader dan de voorgaande keer. Tijdens
de laatste zwangerschap nam haar buik volgens eigen zeggen
enorme proporties aan en ze vond dit zo verschrikkelijk dat
ze weigerde haar huisje nog uit te komen.

Nog voor haar 22ste levensjaar was Mercedes moeder van
vier kinderen en was ze de dikke buiken en baby's meer dan
zat. Ze smeekte haar man om toestemming en geld voor een
sterilisatie, hij stemde toe. De operatie vond plaats in een

privé-kliniek, omdat openbare ziekenhuizen weigeren zulke jonge vrouwen te steriliseren.

Mercedes omschrijft de vader van haar kinderen als een rokkenjager. Altijd op pad met andere vrouwen, terwijl Mercedes gefrustreerd thuiszat. Steeds vaker kwam haar man 's nachts niet thuis. Op een dag trof Mercedes hem innig gearmd met een andere vrouw in een winkel in de stad. Vanaf die dag is hij maar helemaal niet meer thuisgekomen.

Mercedes bevond zich opeens in een situatie met vier kleine kinderen en zonder man die voor een inkomen zorgde. Ze moest nu zelf werk zien te vinden. Via een tante kon ze in de wasserette van een chique hotel bij Tikal aan de slag. Verschillende malen heeft ze me in geuren en kleuren verteld hoe bang ze aanvankelijk was voor de elektrische wasmachines die ze hier voor het eerst in haar leven zag. Mercedes' moeder zorgde in deze tijd voor de kinderen.

Het loon dat Mercedes verdiende, bleek echter niet toereikend om haar vier kinderen van voedsel, kleding en schoolspullen te voorzien. Het maandloon voor vrouwen ligt in Guatemala beduidend lager dan dat voor mannen. De redenering hiervóór is dat mannen met hun loon een gezin moeten onderhouden en dat vrouwen slechts werken als ze nog geen gezin hebben en dus alleen zichzelf hoeven te onderhouden. Zoals veel arme Guatemalteken vertrok Mercedes naar Belize, het buurland van Guatemala, om daar, illegaal, werk te zoeken. Haar kinderen bleven achter in haar huis in El Remate, onder toeziend oog van haar moeder die een stukje verderop woont.

Mercedes vond een baan als huishoudster en kok bij een Beliziaans gezin en verdiende nu genoeg geld. Al snel bleek echter dat haar kinderen geen huiswerk maakten in haar afwezigheid en allemaal een klas moesten overdoen. Haar kinderen moederloos achterlaten vond Mercedes daarom geen optie, ze keerde terug naar El Remate. Hier vond ze een baantje, maar haar loon was wederom niet toereikend om het hele gezin te onderhouden. De rekeningen bij de winkeltjes in het dorp liepen op.

Mercedes had soms nieuwe vriendjes, maar ze kon hen niet aan zich binden omdat ze hen door haar sterilisatie geen kinderen kon schenken. Een paar jaar geleden begon echter Reginaldo interesse in Mercedes te tonen. Hij nam haar en de kinderen mee op uitstapjes. Mercedes had tegen hem geklaagd over het feit dat haar kinderen zoveel uit huis waren om bij anderen televisie te kijken. Hij schonk het gezin toen een grote televisie. Reginaldo bouwt huizen en legt bladerdaken, verdient zo regelmatig geld en had in die tijd geen gezin te onderhouden, hij kon zich een televisie veroorloven. Reginaldo had geen eigen huis en mocht na verloop van tijd bij Mercedes intrekken. Nu ze een man in huis had, hoefde Mercedes niet meer zelf voor een inkomen te zorgen. Zoals de mannen in El Remate betaamt, nam Reginaldo deze taak op zich. Zijn inkomen, als man, was groter dan dat van Mercedes. Eindelijk was er geld om van rond te komen.

Reginaldo wil niet dat Mercedes nog 'de straat op gaat' om te werken, het is zijn eer te na dat zijn vrouw voor geld moet zorgen. Hij is erg jaloers en vreest, net als veel andere mannen, dat zijn vrouw zich buitenshuis te veel met andere mannen in zal laten. Zijn inkomen, dat Mercedes nodig heeft om haar gezin te onderhouden, gaat echter vaak op aan drank. Nachten achtereen komt Reginaldo niet thuis voordat hij stomdronken is. "*En als hij nou gewoon zou doen wat hij leuk vindt* [met vrienden drinken in de bar] *en dan weer blij thuiskomt Maar nee, altijd boos en agressief*", verzuchtte Mercedes eens. Haar lichaam is af en toe bont en blauw van deze dronken, boze buien. "*Maar soms*", zegt Mercedes, "*soms is hij ook wel goed voor ons. Dan komt hij opeens binnen en zegt: 'Kleed je mooi aan, ik neem jullie mee uit.*'" Op zulke momenten sist Mercedes haar kinderen toe: "*Snel, doe nette kleren aan, hij heeft geld!" Dan hebben we leuke avonden.*'

Het verhaal van Mercedes is geen uitzondering in El Remate. Bijna alle vrouwen die ik heb gesproken, raakten op jonge leeftijd, tussen de 13 en 16 jaar, zwanger omdat ze de gevolgen van seks niet kenden. Ze waren gevleid door de aandacht van een meestal wat oudere jongen, hadden vanaf hun vroege jeugd geleerd zich gehoorzaam ten opzichte van mannen te gedragen en lieten hun vriendje zijn gang gaan. Eenmaal zwanger krijgen de jonge meisjes opeens de verantwoordelijkheid voor een kind en kunnen ze slechts afwachten of de vader van het kind bereid is deze verantwoordelijkheid te helpen dragen. Veel meisjes hebben niet het geluk dat Mercedes aanvankelijk had, zoals blijkt uit het levensverhaal van Eliza:

Eliza

Eliza was zestien toen de opa bij wie ze al haar hele jeugd woonde erg ziek werd. Iedereen leek ervan overtuigd dat hij behekst was, behalve de zieke man zelf. Hij weigerde een remedie tegen de beheksing te nemen en overleed na een langdurig ziekbed. Als het oudste kind van het huishouden moest Eliza werk zoeken.

In het provinciehoofdstadje Santa Elena vond ze een baantje in een *comedor*, een simpel eethuisje. Hier begon een man avances te maken. Al na hun tweede gesprek ging Eliza met hem mee naar een hotel. *"Geen idee waarom"*, verzucht ze nu, *"misschien omdat ik voor het eerst geliefd werd."* Eliza had geen benul van wat haar die nacht te wachten stond, *"ik dacht dat liefde niet meer inhield dan elkaars hand vasthouden"*, zei ze. Ze was geschokt over hetgeen er in het hotelbed gebeurde. *"Als dit het is om een vrouw te zijn"*, dacht ze, *"dan ga ik het heel zwaar krijgen in mijn leven."*

Binnen een paar maanden raakte Eliza zwanger. Niet veel later kwam ze erachter dat haar vriend getrouwd was en zijn tijd verdeelde tussen Eliza en zijn echtgenote. Ze was teleurgesteld, maar kon geen andere oplossing bedenken dan bij hem te blijven en af te wachten tot hij haar eventueel zou verlaten. In een decembermaand, precies veertig dagen na de geboorte van hun dochtertje Carlota, ging de man naar de bank, gaf Eliza wat geld en zei haar dat hij in januari terug zou komen. *"Maar ik weet niet welke januari hij bedoelde, want er zijn er al zes voorbij gegaan en ik heb hem nooit meer gezien"*, sloot Eliza haar verhaal af.

Eliza moest zich zien te redden zonder de financiële steun van een man. Ze wilde haar kleine meisje niet achterlaten bij familieleden en elders werk zoeken, omdat ze zich te levendig herinnerde wat een verdriet zij vroeger zelf had gehad toen haar moeder haar bij haar opa achterliet om in de hoofdstad te gaan werken. Eliza had verschillende baantjes in *comedores* in het dorp. Tussendoor waste ze de vuile was voor anderen in het meer. Ze leerde schildpadjes van hout te maken die ze in de winkel van haar oom te koop legde.

Na een paar jaar werd Eliza per ongeluk weer zwanger, van een jongen waar ze nooit echt een relatie mee had. Dus ook de zorg voor haar tweede kind kwam volledig op Eliza zelf aan. Ze woonde nog steeds in het huis van haar opa, met diens weduwe. Deze vrouw raakte echter steeds geïrriteerder over de kleine kinderen in huis en stuurde ten slotte Eliza met haar kinderen het huis uit. Voor het eerst sinds haar vroege jeugd trok Eliza weer bij haar moeder in. Maar na een tijdje vond ook Eliza's moeder dat haar huisje, waar zij met man en vijf kinderen woonde, te vol werd. Eliza moest op zoek naar een eigen onderkomen.

Wanneer een schuldige jongen of man geen zin heeft zich te bekommeren om een meisje dat hij zwanger heeft gemaakt of het kind dat zij van hem heeft (of in Mercedes' geval vier kinderen), bevindt dit meisje of vrouw zich in een lastige situatie. Ze moet de zorg voor kind of kinderen en het tijdrovende huishouden dat daar bijkomt, zien te combineren met geld verdienen om te kunnen overleven. Omdat vrouwen gemiddeld een lager loon krijgen dan mannen, moeten ze meestal lange werkdagen en -weken maken om een substantieel bedrag te verdienen. Aan de steun van familieleden zitten grenzen, zij zitten niet te wachten op een dochter die zich zwanger laat maken zonder ervoor te zorgen dat de betrokken man haar zal onderhouden. Het is zeker niet onmogelijk om als alleenstaande vrouw voor een gezin te zorgen, zoals blijkt uit de verhalen van Mercedes en Eliza en het feit dat een derde van alle huishoudens in Guatemala onderhouden wordt door een vrouw. Het is echter wel een moeilijke en daarom onwenselijke situatie.

Voor veel vrouwen lijkt de meest voor de hand liggende oplossing voor deze moeilijke situatie het aangaan van een relatie met een nieuwe man. De bewoners van El Remate hebben een duidelijk idee over de taakverdeling tussen man en vrouw binnen een relatie. De belangrijkste taak van een man, zo is mij verschillende malen in heldere bewoordingen uitgelegd, is om voor inkomen voor zijn vrouw en kinderen te zorgen. Een oudere vrouw omschreef de instelling die van een (goede) echtgenoot verwacht wordt: "*Een goede man, een man die om zijn vrouw geeft, zorgt voor haar. En als hij eens geen geld heeft, moet hij zeggen: 'Sorry, ik heb nu geen geld, maar ik zal mijn best doen je zo snel mogelijk wat te brengen'.*" Uit deze woorden blijkt duidelijk de nadruk die de vrouwen leggen op de financiële steun die een man zou moeten geven. Toen Eliza's vorige vriend klaagde dat zij hem zo vaak om geld vroeg, antwoordde ze hem zonder omwegen: "*Daar ben je toch voor? Wees blij dat ik het niet aan een ander vraag.*" Door zich met een man te verenigen, probeerde ook Eliza de zware last van de zorg voor haar twee kinderen te verlichten:

Een man uit het dorp toonde interesse in een relatie met Eliza. Ze trok bij hem in, "*Omdat hij beloofde mij en mijn kinderen te helpen.*" Als hij haar goed zou behandelen, zou ze in de loop der tijd wellicht van hem gaan houden, dacht ze. De relatie bleek echter geen succes omdat de man zich niet aan zijn belofte hield. Wanneer hij thuiskwam, verlangde hij eten, gaf zijn vuile kleren af en verdween weer. Bijna nooit gaf hij Eliza geld en als hij dat wel deed was het te weinig om hun schulden bij de dorpswinkeltjes af te betalen en nieuwe inkopen te doen. "*Het was net of ik nog steeds vrijgezel was*", vertelde ze, want nu moest ze alsnog zelf voor geld voor voedsel voor haar en haar twee kinderen zien te zorgen.

Eliza probeerde af en toe wat geld te verdienen door houtsnijwerk te schuren voor het winkeltje van haar oom. Van dit
geld kocht ze eten voor haar en haar kinderen, maar verstopte
dit voor haar man. Ze deed het 's avonds voorkomen alsof zij
en de kinderen de hele dag niets hadden gegeten omdat hij
geen geld had binnenbracht. Via anderen vernam ze dat hij
o.a. in restaurantjes bedragen uitgaf waar hij gemakkelijk het
hele gezin mee had kunnen voeden. Maar haar pogingen hem
op zijn tekortkomingen als 'goede man' te wijzen, bleven zonder effect. Uiteindelijk heeft Eliza haar spullen weer verhuisd
naar haar moeders huis: "*hij zorgde niet goed voor me, en je
bent met een man zodat hij je kan helpen.*" Na een paar dagen kwam de man langs bij het huisje van Eliza's moeder, maar
deze heeft hem streng de les gelezen. Ze gaf toe dat Eliza vaak

'de straat op was', wat een goede vrouw niet behoort te doen, maar dat was omdat *hij* niet voor genoeg geld zorgde. Hij hoefde zich hier niet meer te vertonen, zei ze voor ze hem wegstuurde.

Een volgende man zocht toenadering, maar Eliza hield hem af. Ze legde hem uit dat ze al twee kinderen zonder vader had en er niet nog een bij wilde. Deze man was al wat ouder, 32 jaar, een rustige en redelijke man. Hij beloofde haar anders dan de anderen te zijn. Hij nam Eliza mee naar de stad en kocht levensmiddelen voor haar en haar kinderen. Zij zei hem toen dat hij zijn vuile kleding wel bij haar kon brengen, dan zou ze die voor hem wassen. Niet veel later vroeg de man aan Eliza of ze bij hem wilde wonen, maar ze sloeg zijn aanbod af omdat er in het dorp waar hij woonde nog geen water en elektriciteit is. Zij bood hem toen aan bij haar in te trekken en hij ging akkoord. Ze hadden op dit punt nog geen zoen gewisseld. Toen ze eenmaal samenwoonden, raakte Eliza wel snel weer zwanger. Maar de man hield zijn belofte en trouwde met haar. Voor het eerst leek iedereen jaloers op Eliza. Trouwen is een luxe, slechts weinig mannen zijn bereid deze 'eeuwige verbintenis' aan te gaan of te financieren.

Zoals blijkt uit het verhaal van Eliza, maar ook van Mercedes en nog vele andere vrouwen, zijn praktische overwegingen vaak een belangrijke reden om met een man te gaan samenleven. Ook voor Carmin en haar moeder Ana bleken praktische redenen de aanleiding om voor een relatie te kiezen:

Ana en Carmin

Ana, nu 32 jaar, groeide op bij haar moeder en stiefvader. Ze werd door beiden ernstig mishandeld en gedwongen het hele huishouden plus de zorg voor de 'echte' kinderen van het gezin op zich te nemen. De 27-jarige broer van haar stiefvader zag hoe zwaar Ana het had en stelde het meisje voor met hem te trouwen. Ana was dertien jaar en erg blij met deze mogelijkheid haar ouderlijk huis te verlaten, dankbaar ging ze op het aanbod in. Niet veel later werd hun eerste dochter Carmin geboren.

Carmin was 16 toen ze zwanger raakte. Ze weigert nog steeds bekend te maken wie de vader van haar zoontje is. *"Jullie kennen hem toch niet, hij komt uit de hoofdstad"*, houdt ze vol. Boze tongen beweren dat het kind van een oom van Carmin is, hij lijkt op hem, vinden ze. Dit zou volgens hen ook verklaren waarom de voeten van het kindje misvormd zijn. Volgens Carmin komt dat laatste echter omdat ze in de loop van haar zwangerschap tijdens een zonsverduistering naar buiten was gegaan, toen ze even was vergeten dat dit schadelijk voor de foetus kan zijn.

Carmin woont met haar zoontje in de kleine hut van haar ouders, samen met nog vier jongere broers en zussen. Haar ouders draaien voor een groot deel op voor de kosten en zorg voor hun kleinkind. Daarom vinden zij dat het kind eigenlijk van hen is. Ze ergeren zich aan het onverantwoordelijke gedrag van hun oudste dochter. Carmin helpt volgens hen te weinig in het huishouden en wil het liefst naar elk feest om daar stiekem biertjes te drinken terwijl haar ouders voor haar zoontje zorgen. Carmin vindt dat haar ouders te veel de baas willen spelen over haar en haar zoontje. Deze wederzijdse ergernissen leiden tot veel ruzie in huize Rodriguez.

Tijdens mijn verblijf in El Remate drong een jongeman er verschillende malen bij Carmin op aan een relatie met hem te beginnen. Carmin omschreef haar gevoelens naar hem toe als 'niet meer dan vriendschappelijk', maar overwoog toch serieus om op zijn voorstel in te gaan. Een relatie zou uiteindelijk kunnen betekenen dat ze uit haar ouders' huis weg kon en dat was aanlokkelijk. Verder moest ze er rekening mee houden dat ze al een kindje had en niet zo snel meer dit soort aanbiedingen zou krijgen. Uiteindelijk bleek de man echter toch niet zo geïnteresseerd en bleef alles bij het oude.

De voordelen van een relatie voor een vrouw zijn duidelijk: een man kan haar en eventueel haar kinderen onderdak en onderhoud bieden. Hier staat echter wel wat tegenover. Van een vrouw wordt verwacht dat ze haar man goed verzorgt. Dit uit zich bijvoorbeeld in de belangrijke taak om eten voor haar echtgenoot te bereiden op elk willekeurig moment dat hij dat wenst. Daarom moet een vrouw altijd thuis zijn, hebben zowel mannen als vrouwen me uitgelegd. En inderdaad, overal waar ik kwam, kreeg een man zodra hij wakker werd of thuiskwam onmiddellijk door zijn vrouw koffie en eten aangeboden, zelfs al was dit midden in de nacht. Met de volgende woorden probeerde Gaya mij ervan te overtuigen dat het niet aan haar lag dat haar man haar slecht behandelde: *"Ik ben goed voor hem. Ik vraag altijd, áltijd als hij thuiskomt of hij koffie of eten wil!"* Als een man dan inderdaad eten wenst, blijft zijn vrouw bij hem zitten om hem van warme tortilla's te voorzien, hem gezelschap te houden en na afloop zijn bord op te ruimen.

Deze taak, het aanbieden van koffie en voedsel, is belangrijker dan elke andere bezigheid. Dus ook als een vrouw, bijvoorbeeld, net haar favoriete telenovela aan het kijken is, zal ze opstaan zodra haar man thuiskomt, hem eten aanbieden en bij hem blijven zitten tot hij genoeg gegeten heeft. In de meeste huishoudens staat de televisie echter zo opgesteld dat de vrouwen ook vanuit een bepaalde hoek van de keuken het scherm kunnen zien. Ik heb Gaya meermaals vanuit de keuken, waar ze, conform de gedragsnorm, haar etende man gezelschap hield, naar één van haar kinderen binnen horen schreeuwen dat ze in beeld stonden. Naast het aanbieden en bereiden van koffie en voedsel voor haar man moet een vrouw het huis en terrein netjes houden en zijn kleding wassen. Ze moet hem kinderen schenken en die verzorgen. Valentina zei hierover: *"Mannen worden hier ook wel 'fabrieken' genoemd: ze maken slechts de kinderen en kijken er verder niet meer naar om."*

Het 'dienen' van de echtgenoot uit zich tot in kleine details. In verschillende huishoudens heb ik gezien dat wanneer een man ging douchen, hij dit simpelweg toeriep naar zijn vrouw en onder de douche ging staan. Zijn vrouw zocht en bracht dan snel zeep, handdoek en slippers. Sommige mannen wilden zelfs dat hun vrouw hen ver-

gezelde naar het toilet. De vrouwen bleven dan buiten het hokje
wachten en kletsten met hun man of luisterden naar zijn geklets terwijl hij zijn behoeften deed.

Vrouwen zeiden mij regelmatig: "*Mannen willen nou eenmaal
'sturen'.*" [*mandar*, ofwel 'de baas zijn']. "*En dat kun je ze maar beter
laten doen*", voegde Eliza toe, "*want anders heb je alleen maar ruzie in huis.*" De mannen vrezen hun aanzien (respect van vrouw, kinderen en mededorpsbewoners) en dus macht te verliezen als ze die
rol niet op zich nemen en hun vrouw 'over zich heen laten lopen'.
Toestemming geven voor uitstapjes wanneer een vrouw dat wenst,
valt ook onder dat laatste, menen veel mannen. Eén van de echtelijke
plichten van de vrouw is dus haar man te laten 'sturen'.

Mannen hebben liever niet dat hun vrouw te veel 'de straat op
gaat', ofwel zich buiten haar eigen terreintje bevindt. Ten eerste
moet ze eigenlijk altijd thuis zijn om voor haar man te kunnen zorgen wanneer hij daar behoefte aan heeft. Ten tweede zijn veel mannen, net zoals Reginaldo, bang dat hun vrouw op straat ten prooi zal
vallen aan andere mannen. Salvador legde me uit dat hij uit ervaring
weet hoe mannen zijn: zelfs al hebben ze een eigen vrouw, ze zullen
achter elke eventueel beschikbare vrouw aangaan. Alberto legde me
tijdens een andere gelegenheid uit dat mannen zullen doorzetten en
doorzetten. "*Vrouwen zijn zwak*", ging hij vriendelijk verder, "*ze
kunnen zich niet goed verzetten tegen de druk van zo'n* [versie-
rende] *man en zullen uiteindelijk hun eigen man bedriegen.*" Hij
wil zijn vrouw niet te veel blootstellen aan een dergelijk risico en
heeft daarom liever niet dat zij zich te veel op straat begeeft of buitenshuis werkt. Diverse vrouwen hebben me verteld dat ze van hun
man geen andere mannen mogen groeten op straat en dat doen ze
dan ook niet, om problemen te voorkomen. Sommige mannen willen
ook liever niet dat hun vrouwen te veel met andere vrouwen praten,
omdat ze het dan over andere mannen zouden kunnen hebben. "*Zo
jaloers alle mannen, verschrikkelijk*", verzuchtte één van de vrouwen uit het dorp. Een vrouw die toch veel 'op straat' of buitenshuis
is, krijgt makkelijk de reputatie een 'mannenzoekster' en 'slechte
vrouw' te zijn. Zowel mannen als vrouwen willen voorkomen dat
een vrouw deze reputatie zal krijgen.

Er zijn voor vrouwen dus nogal wat consequenties verbonden aan een relatie. De rol van de man als kostwinner verschaft hem een hoge positie binnen het gezin. In ruil voor financiële steun moet een vrouw haar man dienen en gehoorzamen. Soms rolden meisjes onbewust in deze ongelijke overeenkomst omdat ze ongewild zwanger raakten en toen noodgedwongen een man aan zich moesten zien te binden. Andere keren blijkt een relatie echter een bewuste keuze omdat de vrouwen geen beter alternatief zien.

De machtspositie van mannen geeft hun de ruimte zich te gedragen zoals zij zelf willen en vaak leidt dit tot onverantwoordelijk gedrag. Dagelijks zijn er in het dorp voorbeelden te vinden van mannen die misbruik maken van hun positie als baas over het gezin, zoals bijvoorbeeld de man van Gaya.

Gaya
Toen Gaya als jong meisje vanuit haar geboortedorp Caoba de oevers van El Remate opzocht om in het meer kleding te wassen, toonden verschillende jongens uit dit dorp interesse in haar. Al snel werd één van hen haar vriendje. Deze jongen kwam haar regelmatig opzoeken in Caoba. Tijdens een avondwandeling werd Gaya door haar vriendje ontmaagd. *"Het was heel kort"*, vertelt Gaya, *"het ging hem echt alleen maar om de ontmaagding. Hij liet niet eens sperma achter, pas later leerde ik dat er sperma uit kan komen."* Ze vond het vrijen niet leuk en zegt dat ze het nog steeds niet fijn vindt. Door een misverstand ging de relatie snel weer uit. De jongen kreeg een nieuw vriendinnetje en om te tonen dat zij ook heus wel een andere jongen kon en wilde krijgen, liet Gaya zich door Salvador versieren. Zij was veertien, hij achttien. Hij was lief voor haar en al snel raakte Gaya zwanger. Salvador was erg blij en begon een eigen huisje te bouwen. Haar vorige vriendje liet toen opeens stiekeme briefjes bij Gaya bezorgen waarop stond dat hij haar toch nog wilde, maar Gaya was al bezet. Ze had hem misschien kunnen zeggen dat ze *zijn* kind droeg, fantaseert ze nu. *Hij* is een goede man geworden, hij behandelt zijn vrouw met respect, vertelt ze gefrustreerd.

Gaya geeft toe dat ze zich de eerste tijd met Salvador een beetje verwend gedroeg. Ze was van huis uit gewend dat er altijd eten was, en koffie en suiker. Maar de familie van haar man, waar ze de eerste maanden van haar zwangerschap woonde, had dat vaker niet dan wel. Dagenlang waren er hoogstens bonen om te eten, soms zelfs alleen maar tortilla's met zout. Gaya klaagde hierover tegen haar man. Zo ontstonden de eerste ruzies en vielen de eerste klappen. Gaya vertrok boos weer naar haar moeder, maar die stuurde haar terug. Gaya moest de consequenties van haar daden leren dragen, vond haar moeder.

Na drie kinderen wilde Gaya echt niet meer, toch raakte ze weer zwanger. Op haar twintigste verjaardag was Gaya moeder van vier kinderen. Vanaf dat moment is ze de prikpil gaan gebruiken die gratis wordt aangeboden in de gezondheidspost van het dorp. Ze mag zich van haar man niet laten steriliseren, omdat hij over een paar jaar nog een kind wil, wanneer hun oudste dochter oud genoeg is om met de opvoeding te helpen.

Gaya klaagt veel over haar man. Ze noemt hem een "*boze man*", een term die veel vrouwen in El Remate gebruiken om hun echtgenoot te beschrijven (*enojado*). Als hij niet op zijn werk is, loopt hij vaak tierend over het terrein, geeft Gaya en de kinderen strenge bevelen en slaat als deze niet snel genoeg naar zijn zin worden uitgevoerd. Soms, als hij echt een pestbui heeft, dwingt hij Gaya om 's nachts urenlang op haar knieën naast het bed te zitten. Voor uitstapjes, bijvoorbeeld een bezoek aan familie in Caoba, moet ze zijn toestemming hebben. Vaak laat hij haar niet gaan, omdat hij bijvoorbeeld chagrijnig is van de *crack* van de vorige avond of haar wil straffen omdat ze die nacht niet met hem heeft willen vrijen. Dan zit er voor Gaya niets anders op dan te wachten op een betere dag. Ze vertelde dat ze eens zonder zijn toestemming van huis was geweest. Helaas was Salvador tijdens haar afwezigheid thuisgekomen. Uit woede heeft hij haar toen als een hond aan een boom vastgeketend, waarna hij zelf weer vertrok.

Gaya moet vaak hard bedelen om wat geld van Salvador te krijgen. Hij heeft weinig inkomen en een groot deel van wat er binnenkomt, gaat op aan wiet en crack. De wiet is nog wel oké, vindt Gaya, die maakt hem rustig. Maar de crack maakt hem opgefokt, vooral de ochtend na het gebruik is hij verschrikkelijk. Veel mannen spenderen hun beetjes geld liever aan zichzelf en hun vrienden dan aan hun 'zeurende' vrouw en kinderen. Toen Gaya eens vroeg om wat geld, *"al is het maar vijf quetzal, om zeep te kopen",* werden Salvadors prioriteiten duidelijk, hij antwoordde kwaad: *"Ik heb verdomme niks, ik kan niet eens mijn eigen vrienden uitnodigen voor een drankje!"* Gaya is vaak woedend en gekwetst als ze erachter komt dat Salvador eindelijk weer wat geld in handen had, maar dat allemaal aan zichzelf en zijn vrienden heeft uitgegeven, zonder ook maar iets over het geld tegen Gaya te zeggen. *"Hij geeft niks om mij en de kinderen, hij maakt al het geld zelf op",* treurt ze.

"Ik weet niet of het je al is opgevallen", zei Eliza me eens, *"maar veel mannen hier zijn slecht."* Ze drinken of gebruiken drugs, slaan hun vrouwen en staan slechts sporadisch en met ongenoegen geld aan hun vrouw af om het gezin mee te onderhouden. Ze verzuimen hun taak als kostwinner en brengen hun vrouw daarmee in een benarde positie.

De meeste vrouwen die ik sprak klaagden veel, tegen mij of andere vrouwen, over het wangedrag van hun echtgenoot. Hoe dronken hij was geweest, hoe boos hij had gedaan, of hij had geslagen, waar het geld heen was verdwenen, hoe hij niets had gegeven om eten te kopen of de kinderen van nieuwe kleren voor kerst te voorzien etc. Gaya vond dat haar man haar als een slaaf behandelde, een andere vrouw zei me dat ze van de verschillende mannen in haar leven 'als een varken' had moeten leven, ofwel met het hoofd naar de grond gericht. Dat de onvrede van de vrouwen over wangedrag van hun mannen niet geheel nieuw is, blijkt uit verhalen die sommige oudere vrouwen mij vertelden over hoe zij zich vroeger hadden gevoeld over de slechte behandeling door hun echtgenoten. Enkele van deze vrouwen hadden zelfs ooit hun man verlaten omdat ze zijn gedrag niet meer wilden verdragen.

"Tuurlijk, anders wordt hij boos"

Hoewel de vrouwen tegen mij en elkaar veel klaagden over hun echtgenoot, bleven ze over het algemeen stil tegenover hemzelf. Zodra een echtgenoot verscheen, boden de vrouwen hem op vriendelijke toon eten en koffie aan. Ze hielden zijn huis netjes, wasten zijn kleren en voerden zonder openlijk morren zijn opdrachten uit. Verschillende onderliggende oorzaken maken dat de vrouwen weinig een directe confrontatie met hun man aangaan. Zoals blijkt uit de levensverhalen van Mercedes en Eliza lopen vrouwen een reëel gevaar door hun man verlaten te worden. Mannen zijn niet zo afhankelijk van hun vrouw als andersom. Met de zorg voor kleine kinderen en het daarbij komende huishouden is het voor vrouwen moeilijk om zelf voor een groot genoeg inkomen te zorgen. Voor het voeden van haar kinderen is ze afhankelijk van een man die werkt en, hoe weinig ook, geld afstaat. Ze moet deze man aan zich proberen te binden, de voedsel- en geldvoorziening van haar gezin veiligstellen. Daarvoor moet ze haar man tevredenstellen en zich dus naar zijn wensen schikken.

Meestal is deze pragmatiek echter een weinig bewust proces. De vrouwen nemen wel duidelijk een ondergeschikte rol aan, ze gehoorzamen aan hun man en zeggen hier slechts over: *"Tuurlijk, anders wordt hij boos."* Vrouwen horen nu eenmaal te gehoorzamen aan hun man, deze plicht is een maatschappelijke norm. Valentina merkte op: *"Als je eenmaal samen bent, ben je niet meer vrij. Dan moet je respect tonen voor je man. Als je hem niet toestaat te sturen en je eigen gang gaat, dan bekritiseren de mensen je."* Afkeuring door de gemeenschap, in de vorm van beschuldigingen een 'mannenzoekster' te zijn, verdenkingen van buitenechtelijke relaties of zelfs prostitutie, zijn voor haar blijkbaar een belangrijke reden om zich netjes ofwel volgens de norm te gedragen. Zelfs wanneer haar man zich niet gedraagt zoals een goede echtgenoot betaamd.

Dit controlesysteem wordt grotendeels door vrouwen zelf in stand gehouden. Vrouwen vinden het niet acceptabel maar wel in de lijn der verwachting dat een vrouw die van haar eigen man te weinig geld, voedsel of goederen krijgt, dit bij een andere man zal zoeken. Zoals ook een vrouw zonder partner op zoek zal gaan naar een man om haar financieel te ondersteunen. *"En mannen zullen tegen een andere vrouw* [die ze hopen te versieren] *altijd zeggen dat ze geen vrouw hebben, maar die hebben ze wel",* stelde Eliza. Al met al lopen vrouwen een wezenlijk risico dat een andere vrouw hun man, hun 'financiële bron', zal inpikken. Angst hiervoor leidt tot onderlinge rivaliteit tussen de vrouwen. Het feit dat de vrouwen elkaar goed in de gaten houden en altijd in bepaalde mate blijven wantrouwen, komt voort uit dit gevaar.

Enerzijds klaagden de vrouwen over het feit dat ze niet eens een man op straat konden begroeten zonder dat iedereen haar ervan zou verdenken een zogenaamde *'casero'* [buitenechtelijke vriend] te hebben. Op andere momenten benadrukten diezelfde vrouwen echter hoezeer zij vreemdgaande vrouwen afkeurden, 'haatten' zelfs. Daarom, legden zij dan uit, bekritiseren ze een vrouw zo fel als ze deze op straat zien praten met een andere dan haar eigen man. De vrouwen zouden dus enerzijds voor zichzelf meer vrijheid willen, maar zijn het er anderzijds in het algemeen over eens dat een vrouw zich 'hoort te gedragen'.

Mannen noch vrouwen geloven dat een zuiver platonische relatie tussen beide seksen, buiten directe familierelaties, mogelijk is. In de tijd dat ik met mijn vriend in het resort werkte, konden de dorpsvrouwen niet begrijpen dat ik hem toeliet een paar dagen op reis te gaan met een wederzijdse vriendin van ons. Hoe ik hen ook verzekerde dat er niets tussen die twee zou gebeuren, de vrouwen bleven me meewarig en hoofdschuddend aankijken, overtuigd van mijn ongelijk. Tijdens mijn tweede verblijf in El Remate kwam de vriend van mijn zus mij opzoeken, hij kon via zijn werk goedkoop vliegen en wilde hier gebruik van maken. Uit de schunnige opmerkingen van de vrouwen bleek wederom hoe ongewoon, en ongelofelijk, een platonische vriendschap tussen man en vrouw voor hen is. Ontzet benadrukte ik nogmaals dat mijn gast de vriend, verloofde zelfs, van mijn zusje was. *"Ja, ja, natuurlijk"*, giebelden Gaya en Eliza, *"maar in het donker weten jullie vast elkaars bed te vinden."*

Soms komt naar buiten dat een man een buitenechtelijke relatie heeft, maar ook dan komt zijn vrouw niet openlijk in opstand. De vrouwen richten hun woede op de concurrerende vrouw. Mercedes probeerde bijvoorbeeld door middel van anonieme dreigbriefjes de vriendinnen van de vader van haar kinderen af te schrikken. Andere vrouwen vertelden dat ze magische rituelen hadden uitgevoerd of een 'heks' betaalden in pogingen de strijd om een man te winnen. De vrouwen achten het niet mogelijk om op directe wijze iets, in dit geval trouwheid, van hun man te eisen, ze voelen zich hiertoe niet in hun recht noch in de financiële en sociale positie.

Als een vrouw soms boos haar onvrede laat merken, trekt haar man zich daar inderdaad meestal weinig van aan. Hij is een man, baas van het huishouden en hoeft dus niet te luisteren naar zijn vrouw. Het geklaag van de vrouwen wordt niet serieus genomen of zelfs afgestraft. *"No me hace caso"*, zeggen de vrouwen: "hij trekt zich niets van mij aan." De sporadische boze uitvallen van de vrouwen veranderen weinig aan het gedrag van de mannen. Frustraties en geklaag van vrouwen over het wangedrag van hun echtgenoten vindt voornamelijk zijn weg naar andere vrouwen, die zich in soortgelijke posities bevinden.

Het lijkt vaak niet zozeer de financiële armoede te zijn die de vrouwen zwaar valt, maar de respectloze nalatigheid van hun partner die de oorzaak is van deze financiële armoede. Zoals eerder uitgelegd is leven met weinig en soms geen geld in El Remate best te doen en eigenlijk heel normaal. Zolang er maar in ieder geval af en toe wat geld binnenkomt. De maandelijkse elektriciteitsrekening zal toch echt betaald moeten worden, en dat zal een man dan ook meestal wel doen. Waar veel vrouwen verbitterd over zijn, is het feit dat hun partner zich niet om hen en hun kinderen lijkt te bekommeren terwijl hij weet dat zij afhankelijk zijn van zijn steun.

Ze bestaan wel, goede mannen. Soms, wanneer vrouwen flink mopperden over hun man, vroeg ik me hardop af of er wel goede mannen bestaan in El Remate. *"Jaha"*, antwoorden de vrouwen dan en verwezen bijvoorbeeld naar Byron. Deze 24-jarige vader van drie kinderen werkt hard en drinkt niet, begonnen ze op te sommen. Zijn vrouw loopt aan het einde van elke week met een doos vol levensmiddelen van de winkel naar huis, Byron voorziet haar dus keurig elke week van genoeg geld om inkopen te doen. "*En,*" voegden de vrouwen dan altijd toe, "*hij slaat haar nooit.*" Toch heb ik ook vrouwen met een verantwoordelijke partner horen balen over de ongelijkwaardige relatie met hun man. Mary, 36 jaar, heeft volgens de in El Remate heersende normen een redelijk goede echtgenoot. Toen ik haar eens vroeg of ze vroeger naar dansfeesten ging, antwoordde ze dat ze nooit mocht van haar vader. "*En toen ik eenmaal getrouwd was, mocht ik niet van mijn tweede vader*", verzuchtte ze, doelend op haar man.

"Pendejo!"

Het onderlinge geklaag van vrouwen geeft aan dat zij hun situatie niet geheel protestloos ondergaan. Ik heb Gaya meermaals tegen mij en andere vrouwen horen zeggen dat ze haar man het liefst zou vermoorden als de kerk niet beweerde dat dit een zonde is. Met dit soort uitingen, en andere minder heftige, kunnen vrouwen te kennen geven dat ze het niet eens zijn met de manier waarop hun man hen behandelt, ondanks het feit dat ze zich wel naar zijn wensen voegen.

Door veel te klagen en zo hun positie als slachtoffer te benadrukken, creëren de vrouwen wat meer bewegingsruimte voor zichzelf. Het profileren van hun erbarmelijke situatie, waar zijzelf dus vooral geen of in ieder geval in mindere mate schuld aan dragen, moet voor de vrouwen fungeren als verzachtende omstandigheid in geval van roddels over eventueel onbehoorlijk gedrag. Een vrouw die soms zonder toestemming de straat op gaat bijvoorbeeld, of liegt tegen haar man, hoopt op de woorden: "*Tja, je moet wel met zo'n man.*"

Er zijn verschillende indirecte technieken die de vrouwen toepassen om toch grip op hun eigen leven te hebben. Liegen, verdraaien of aandikken zijn voor de vrouwen heel bruikbare, en dus gangbare, instrumenten om hun eigen leven te kunnen sturen. Ze liegen bijvoorbeeld over redenen voor bezoekjes waar ze toestemming voor willen, redenen waar ze geld voor nodig hebben, redenen waarom bepaalde dingen wel of niet gebeurd zijn. Katia, 22 jaar, keek heel verbaasd toen ik eens zei dat ik er niet van hield om te liegen. "*Maar tegen je vriend moet je toch wel liegen?*" stelde ze verzekerd. "*Als je iets van hem moet doen, maar je wilt niet, dan moet je toch zeggen dat je ergens pijn hebt ofzo.*" "*Nou, nee*", antwoordde ik, "*dan zeg ik gewoon dat ik geen zin heb.*" Katia keek vol ongeloof naar Gaya, in wiens keukentje we zaten te praten. "*Echt*", bevestigde Gaya, die mij al vaker over relaties in Nederland had horen praten, "*mannen zijn daar heel anders.*"

Een andere methode voor meer zelfbeschikking over het eigen leven is stiekeme ongehoorzaamheid. Bijvoorbeeld een onverwacht, kort uitstapje zonder toestemming omdat de man toch niet thuis is en waarschijnlijk binnenkort niet thuiskomt. Eliza kwam weer, net als voor ze trouwde, op bezoek bij Gaya om hier tv te kijken toen haar man in het ziekenhuis lag, hoewel hij haar expliciet had verboden bij andere mensen langs te gaan. Hij had gezegd dat hij zich geneerde als zijn vrouw bij andere huizen 'om voedsel ging leuren'. Eliza lacht om deze onjuiste omschrijving van haar bezoekjes, maar voegt zich tijdens zijn aanwezigheid wel altijd naar zijn wens. Nu hij niet kon zien wat ze deed, ging ze weer haar eigen gang. Gaya nam tegen het expliciete verbod van Salvador haar spijkerbroek mee op ons tripje naar de hoofdstad, ze mocht er van hem vooral niet te sexy uitzien, maar zij wilde juist mooi voor de dag komen.

Verder maken sommige vrouwen, naar eigen inschatting van de situatie of de bui van hun man, binnen gehoorafstand cynische grapjes over zijn falen als 'goede echtgenoot': over het feit dat hij zo weinig geld afstaat, vaak onder de invloed van drank of drugs is, geen hout voor haar haalt of hakt enz. Gaya gebruikte soms scènes uit telenovelas om indirect kritiek op haar man te uiten: "*Wat een klootzak!* ['pendejo']" zei ze toen ze samen met Salvador een scène op televisie zag waarin een man zijn vrouw een harde klap in het gezicht gaf. Ze ging zelfs nog verder door te zeggen dat de vrouw dom was dat ze haar mishandelende man niet verliet. Toen Salvador echter reageerde met de dreigende vraag "*noem je mij een klootzak?*", bleef Gaya stil.

De vrouwen doen soms onaardig, kattig of bot tegen hun echtgenoot, om hun onvrede te laten merken. Gaya vertelde me soms tevreden dat ze die nacht haar rug naar Salvador had gekeerd toen deze met haar wilde vrijen.

Op korte termijn zijn deze indirecte vormen van protest weliswaar bevredigend, maar uiteindelijk leiden ze vaak tot meer wantrouwen, repressie en agressie van de echtgenoot. Gaya moest haar onwilligheid tot seks de volgende dag meestal bekopen met een pissige echtgenoot: ontzegging van uitstapjes, vervelende opdrachten, gescheld of zelfs klappen.

De indirectheid van deze verschillende manieren waarop de vrouwen wat meer bewegingsvrijheid proberen te creëren, geeft aan dat er in de openlijke omgang tussen mannen en vrouwen weinig ruimte is voor zelfbeschikking voor de vrouwen.

Enkele vrouwen in het dorp hebben op een bepaald punt in hun leven besloten de rigoureuze stap te nemen hun man te verlaten omdat hij het werkelijk te bont maakte. Dit betekende dan meestal dat ze ook het dorp moesten verlaten om buiten zijn bereik te blijven. Een verlatende vrouw brengt zichzelf in een lastige situatie. Ze zal zelf voor genoeg inkomen moeten zorgen of een man moeten vinden die bereid is de zorg voor de kinderen van een andere man op zich te nemen. Ze haalt zich deze problemen zelf op de hals en hoeft daarom niet veel steun van familieleden te verwachten. Gaya sprak er soms over dat ze Salvador wilde verlaten, maar haar moeder stond hier absoluut niet achter, hoezeer ze Salvadors gedrag ook verafschuwde. Ze vreesde dat Salvador dan zo woedend zou worden dat hij Gaya of een familielid iets zou aandoen, zoals hij al meermaals gedreigd had, en dat moest Gaya ten alle koste zien te voorkomen. Volgens haar moest Gaya haar man meer verwennen, om zo haar eigen leven te redden.

Gaya vertelde dat justitie tegenwoordig meestal steun verleent aan de vrouw als zij haar man wil verlaten en niet meer zoals vroeger aan de man. Veel vrouwen durven echter de hulp van justitie niet in te roepen bij gebrek aan vertrouwen in de uitvoerende macht en angst voor latere wraakacties van de man of zijn familie. De vrouwen

sloten de klaagzangen over het wangedrag van hun echtgenoot vaak af met de verzuchting: *"Ach, ik zal het maar moeten verdragen."*

Een echte bruidsjurk

Hoewel ik hier steeds schrijf over 'echtgenoten', zijn de meeste koppels in El Remate niet officieel getrouwd, maar *'unidos'*: 'verenigd' ofwel ongehuwd samenwonend. Eliza's huwelijk was een uitzondering. Haar man Alberto moest dan ook een witte jurk (waar Eliza's zwangere buik inpaste), witte schoenen, een net overhemd, een nette pantalon, twee gouden ringen, een kussentje voor de ringen en genoeg rijst, tomaten, kool, limonadepoeder en suiker voor de huwelijkslunch aanschaffen. Eliza bracht het vlees voor de lunch in door één van haar varkens te laten slachten. Er konden helaas niet al te veel mensen voor de lunch worden uitgenodigd in verband met het kleine budget dat het paar ter beschikking had. Een bruiloft tussen twee jonge, kinderloze, nog-niet-samenwonende *"novios"* [verloofden] wordt meestal grootser gevierd. De bruid krijgt dan een 'echte' jurk, een uit een winkel in de stad in plaats van door een naaister uit het dorp gemaakt. Er worden zo veel mogelijk mensen, met speciale bruiloftskaarten, ook uit een winkel in de stad, uitgenodigd voor de huwelijkslunch. Al met al kunnen de kosten die verbonden zijn aan een bruiloft behoorlijk oplopen. Trouwen is daarom een luxe die weinig mensen zich kunnen (of willen) veroorloven.

Een officieel huwelijk, voor de kerk, is heilig. Het wordt door zowel mannen als vrouwen gezien als een verbintenis voor God en dus gerespecteerd als een verbintenis die niet zomaar te verbreken is. Het huwelijk brengt aanzien, want het geeft aan dat een man echt voor zijn vrouw heeft gekozen, bereid was hier geld in te stoppen en haar niet zo makkelijk zal verlaten. Mocht hij toch besluiten zijn vrouw en kinderen te verlaten, dan biedt het huwelijk recht op alimentatie. Een officieel huwelijk maakt de positie van een vrouw binnen de relatie dus minder onzeker.

Het merendeel van de mannen en vrouwen in El Remate woont ongehuwd samen, omdat de partners zich niet vast willen leggen of omdat er simpelweg te weinig geld is voor een trouwerij. Toch wordt dit feitelijk beschouwd als een zonde.

Eliza's moeder, begin veertig, beweerde dat ze haar einde voelde naderen en maakte zich zorgen over haar zondige samenlevingsverband met de vader van vijf van haar kinderen. Ze wilde trouwen, net als haar oudste dochter Eliza, voor het gemak tijdens dezelfde mis. Dan was er namelijk toch een priester aanwezig en zo konden ze de kosten en zorgen voor een huwelijkslunch delen. Haar man stemde toe, om zich de volgende dag echter weer terug te trekken. Wekenlang ging dit zo door. "*Hij denkt dat hij op z'n oude dag nog wat lekkere jonge meisjes kan krijgen*", mopperde Eliza, "*maar ik heb hem gezegd dat hij dat wel kan vergeten.*" Ik hoorde een man tegen de twijfelaar zeggen: "*Wil je een meisje van vijftien of zo? Kijk, als je een groot stuk land hebt, met veel koeien en een auto, dan kun je dat inderdaad wensen. Maar een arme man, vergeet het.*" Tot op de dag van de bruiloft bleef het echter onzeker wat de man zou beslissen. Eliza's moeder liet toch een witte jurk maken. Ze had zich voorgenomen dat als haar levenspartner zou besluiten niet met haar te trouwen, zij tijdens diezelfde mis haar Eerste Communie zou doen. Daarna zou ze de man onverbiddelijk het huis uitzetten en zo alsnog gezuiverd kunnen sterven. Vlak voor de mis begon, liep de spanning hoog op. Zij was er, in het wit. Hij niet. Alle vrouwen leefden mee, ze hadden de voorgaande weken regelmatig op de man zitten vitten, zowel onderling als tegen hemzelf, over de manier waarop hij zijn partner behandelde. Maar de man kwam en het paar trouwde, zij het met ter plekke geleende ringen, want daar had hij in al zijn verwarring niet voor gezorgd.

Deze man had zich duidelijk liever niet voor het oog van God aan de moeder van zijn kinderen verbonden. Hij wilde blijkbaar de mogelijkheid open laten haar op een willekeurig moment te verlaten voor een andere vrouw. Zijn vrouw had echter twee volwassen zonen die werkten en haar in geval van nood zouden kunnen onderhouden. Ze was hiervoor dus niet per sé afhankelijk van een echtgenoot. Dit bracht haar in de positie te dreigen haar partner het huis uit te zetten als hij niet bereid was zich nu officieel en openlijk aan haar en hun vijf kinderen te binden. De man koos uiteindelijk eieren voor zijn geld.

"Hola, mi amor"

De sociale realiteit van de relaties tussen mannen en vrouwen in El Remate wordt gekenmerkt door een ongelijkwaardige verhouding en noodzakelijk pragmatisme. In telenovelas daarentegen worden relaties tussen mannen en vrouwen gekenmerkt door romantische liefde. Personages uit de telenovelas lijken bereid alles te doen of te laten om hun liefde beantwoord te zien. Romantische liefde is een belangrijke drijfveer achter veel handelingen van de verschillende personages. Zij proberen elkaar te winnen met persoonlijke aandacht, geven elkaar romantische briefjes of cadeaus zoals rozen, parfum, sieraden of mooie (nacht)kleding, gaan op romantische uitstapjes naar een restaurant, kermis of lokale bezienswaardigheid, steken veel kaarsjes aan, drinken champagne en kussen elkaar uitgebreid. Sommigen liegen, bedriegen, bedreigen en moorden zelfs in hun pogingen een geliefde te bemachtigen. In veel telenovela-verhalen moet de hoofdpersoon uiteindelijk kiezen voor enerzijds zijn of haar geliefde en anderzijds familie, die de huwelijkspartner niet goedkeurt, of rijkdom. Waarbij De Liefde meestal wint.

Tijdens mijn verblijf in El Remate merkte ik dat de vrouwen met wie ik hier sprak soms een idioom gebruikten dat sterk overeenkwam met de boodschappen die de telenovelas uitdragen. Ofelia, 23 jaar, zei me: *"Geld maakt me niet zoveel uit, dat is niet wat ik wil in het leven. Alles wat ik wil is liefde. Iemand die lief voor me is, me omhelst, met me praat."* Ook Eliza zei iets dergelijks: *"Arm zijn is niet zo erg, maar zonder liefde kun je niet leven."*

Een verlangen naar romantische liefde bleek ook uit andere voorvallen en uitspraken. Nadia, een 24-jarige vrouw met drie kinderen van verschillende mannen, vertelde me dat ze graag weer een vriend zou willen hebben. *"Maar je moet oppassen"*, merkte ze op, *"want mannen willen vaak alleen maar seks. Vrouwen daarentegen willen ...* [stilte, nadenken] *... uhm, liefde. Tenminste, dat wil ik, en jij?"* Gaya heeft me diverse malen gezegd dat ze een man wil die van haar houdt en waar zij van kan houden. Heel soms, alleen tijdens uitvoerige gesprekken, gaf ze toe dat ze misschien nog wel van haar man Salvador houdt, om dat daarna onmiddellijk te overstemmen met een grote *"Maar"*. Het is haar eer te na om te openlijk toe te geven dat ze ook nog houdt van deze man die zich vaak niet om haar bekommert terwijl hij weet, en omdat hij weet, dat zij afhankelijk is van zijn zorg omdat zij al moet opdraaien voor hun kinderen en het hele daar bijkomende huishouden. Het volgende voorval geeft aan hoe gevoelig ze was voor liefdevolle aandacht van (andere) mannen:

Gaya en ik gingen naar de hoofdstad voor een maagonderzoek dat Gaya moest ondergaan. Een week lang bezochten we daar elke dag het ziekenhuis. Voor de ingang van dit ziekenhuis stond een bewaker die Gaya de eerste dag *"Hola, mi amor"* toefluisterde toen ze langs hem liep. Ze vertelde me dat ze acuut kriebels in haar buik kreeg. *"Dat heeft zolang niemand tegen me gezegd"*, zei ze nog nazwijmelend. De volgende dag deed ze haar mooiste kleren aan (de strakke spijkerbroek die ze van haar man eigenlijk niet had mogen meenemen) en keek ze de jongeman hoopvol aan. Hij zei niks meer, maar dat mocht de pret niet drukken. Tot nog weken later had ze dromen over hem. Waarin hij haar bijvoorbeeld meenam naar mooie meertjes waar ze samen gingen zwemmen. Ze gie-chelde over het feit dat ze over een andere man droomde ter-wijl haar eigen man rustig naast haar lag te slapen. Soms fanta-seerde ze hardop dat ze Salvador zou verlaten en met deze man zou trouwen. En dit alles na drie 'liefdevolle' woorden van een vreemde.

Hoewel praktische, rationele overwegingen in El Remate vaak de re-den zijn waarom een vrouw zich met een man verenigt en/of bij hem blijft, blijkt uit de voorgaande verhalen en uitspraken een ver-langen van de vrouwen naar romantische liefde: warmte, attentie, een luisterend oor, een liefdevol woord.

Rode kaarsjes en champagne

Uit verschillende praktische uitingen van het concept 'romantiek' blijkt dat de vrouwen reiken naar symbolen die ook veelvuldig ge-bruikt worden in de telenovelas. Dominica schreef me eens verrukt over 'de romantische nacht' die ze met haar vriend had gehad: er wa-ren rode kaarsjes en champagne, hij kuste haar voeten en daarna langzaam de rest van haar lichaam. Gaya bedacht, in een periode dat Salvador weer eens wat vriendelijker was, dat ze een sexy, zwartkan-ten nachtjapon zou willen kopen. Ofelia deelde een aandringende man mee dat ze pas met hem wilde 'slapen' als hij haar een bos echte rozen zou brengen.

Rozen groeien niet in Guatemala en omstreken, ze zijn een nieuw, geïmporteerd fenomeen in deze landen, net als champagne en satij-nen nachtjaponnetjes. Deze voorwerpen kunnen niet al eerder als symbool gefungeerd hebben en wijzen dus op een overname van bepaald symbolisch denken van buitenaf. Het nieuwe, aangereikte idioom van romantische liefde spreekt de vrouwen uit El Remate blijkbaar aan. Ze passen de specifieke uitingen van 'romantiek' die in de telenovelas wordt gepropageerd graag toe binnen hun eigen leven.

De romantische relaties tussen mannen en vrouwen in de telenovelas zijn over het algemeen gebaseerd op wederzijds respect en gelijkwaardigheid. Zowel mannen als vrouwen willen graag de liefde winnen van een beminde en behandelen hem of haar daarom met veel aanzien en aandacht. De vrouwen in de telenovelas hebben en nemen net zo goed het recht hun wensen en behoeften te uiten en na te streven als elke man. Dat ook dit element van wederzijds respect en gelijkwaardigheid uit de series opgepikt werd door de kijkers uit El Remate blijkt duidelijk uit de volgende woorden van Gaya: "*Op tv zie je dat een vrouw haar mening geeft, dat ze zegt wat ze vindt. En de man luistert daarnaar, net zoals zij luistert wanneer hij zijn mening geeft. Als twee gelijke mensen. Dat is hier wel anders, hier trekken mannen zich niets aan van wat een vrouw zegt.*"

De romantische liefde die op tv zo aangeprezen wordt, wordt door de kijkers in El Remate gerelateerd aan de gelijkwaardige verhouding tussen beide partners die daar in de telenovelas bijhoort. De wijze waarop een telenovela-personage zijn liefde uit is door zijn geliefde met respect en zorg te behandelen, haar te liefkozen, naar haar te luisteren, haar serieus te nemen en ruimte te geven. Uit het verlangen naar romantische liefde van de vrouwen in El Remate spreekt dus tevens een verlangen naar respectering door hun echtgenoot als een volwaardig medemens, een mens dat eigen beslissingen kan en mag nemen.

"Daar luistert een man naar wat een vrouw vindt"

In de sociaal-wetenschappelijke en politieke wereld woeden verschillende discussies over de al dan niet emanciperende werking van zogenaamde 'vrouwengenres': soapseries, melodrama's, tijdschriften enz. Een rapport van de Verenigde Naties over de relatie tussen vrouwen en de media stelt bijvoorbeeld:

Het is waar dat drama – inclusief populaire fictie, soaps en telenovelas – tot op bepaalde hoogte begint te reageren op
nieuwe tendensen en ontwikkelingen in genderverhoudin-
gen, met een incidentele portrettering van de 'nieuwe man'
(zachtaardig, ondersteunend, emotioneel) en de 'moderne
vrouw' (onafhankelijk, assertief, inventief). Gedetailleerde
analyses suggereren echter dat dergelijke vernieuwingen vaak
niet meer zijn dan een modieuze façade, waarachter ouder-
wetse, strikte opvattingen schuilgaan. In Latijns-Amerika blijken de meeste nieuwe, onafhankelijke heldinnen in recente
telenovelas bij nader inzien geïntroduceerd te zijn om 'de ver-
pakking' van het genre te veranderen en niet zozeer de kern-
boodschap.

In het rapport wordt getwijfeld aan de mogelijkheid van een werkelijk emanciperend effect van programma's zoals telenovelas omdat
de boodschap die deze verhalen uitdragen uiteindelijk vaak een her-
bevestiging blijkt van de traditionele, ongelijke verhouding tussen
man en vrouw.

Het rapport gaat na hoe vrouwen en mannen en de relaties tussen
hen worden afgebeeld in onder andere telenovelas. Dit lijkt mij echter niet de belangrijkste vraag die gesteld moet worden. Om het effect na te gaan van telenovelas op hun kijkers, moet niet zozeer on-
derzocht worden welke boodschap wordt uitgedragen, maar welke
boodschap wordt ontvangen, hoe die wordt begrepen en hoe die
boodschap eventueel cultureel gedrag beïnvloedt.

Allereerst de vraag hoe vrouwen in de telenovelas worden gety-
peerd. Het prototype vrouw in telenovelas is knap en sexy. De vrouwen zijn in twee groepen in te delen, ze zijn ofwel slecht en gemeen
of goed en lief. Een enkele keer verandert een karakter van slecht
naar goed of andersom, maar over het algemeen zijn de goedheid
dan wel slechtheid permanente karaktertrekken van de verschillende
personages. Elk van de personages, zowel de goede als de slechte,
streeft haar eigen wensen na en voert haar eigen plannen uit. Met
het enige verschil dat de goeden ook het geluk van anderen nastre-

ven en de slechten misbruik van anderen niet uit de weg gaan bij het nastreven van hun eigen geluk. De vrouwen zijn zelfstandig, initiatiefrijk en ondernemend.

Laten we de rol van Perla, het hoofdpersonage uit *"Las Vias del Amor"*, als praktijkvoorbeeld nemen en nader bekijken. Perla vertrekt onbevreesd, en zonder hier aan iemand toestemming voor te vragen, naar de hoofdstad om haar vader te zoeken. Daar gaat ze op zoek naar werk. Tijdens één van de sollicitatiegesprekken wordt Perla aangerand, maar ze slaat haar aanvaller neer. Ze bedenkt dat ze graag als metrobestuurder zou willen werken en gaat de opleiding hiervoor volgen. Veel mannen zijn verliefd op haar, ze kijken tegen haar op en doen alles voor haar liefde, zelfs moorden. Perla is een mooie, zachtaardige jonge vrouw, die met iedereen het beste voorheeft. Vanaf het moment dat ze Gabriel heeft ontmoet, (dag)droomt ze er regelmatig over dat ze samen zijn en elkaar zoenen. Maar ze heeft niet veel tijd om helemaal op te gaan in deze romantische dromen, want ze moet zich staande zien te houden in de grote hoofdstad, ze volgt een opleiding, heeft baantjes, moet haar vader zien te vinden en zijn onschuld bewijzen. Uiteindelijk komt alles goed en trouwt de mooie jonge vrouw met haar grote liefde en maatje Gabriel.

Het einde en hoogtepunt van veel telenovelas bestaat uit de trouwerij van de twee goede hoofdpersonen, niet zelden een middenklasse meisje met een rijke man. Een liefdevol, romantisch huwelijk – liefst met een rijke man – wordt in de telenovelas als hoogste goed, als grootste streven voor een vrouw neergezet. In Westerse, feministische ogen is dit allesbehalve een emanciperende boodschap. De sexy geklede vrouwen en gespierde mannen in de series evenmin. Een tekst als *"Jij moet een oplossing zoeken voor dit probleem. Daar ben je een man voor, om oplossingen te zoeken."* [uit de telenovela *"La Gata Salvaje"*] is een duidelijke bevestiging van het traditionele genderpatroon. Zoals het VN-rapport al stelt zijn telenovelas in essentie vaak een ouderwets sprookje dat slechts toewerkt naar een gelukkige ontknoping waarin de heldin eindelijk kan trouwen met haar droomprins. In deze zin verkondigen telenovelas inderdaad een weinig emanciperende boodschap.

Het gaat echter niet zozeer om welke boodschap telenovelas uitdragen, maar, zoals gezegd, welke boodschap door de kijkers ontvangen wordt. De vrouwen in El Remate lazen voornamelijk een andere
boodschap in de telenovelas. Zij zagen in de vrouwelijke personages
zelfbewuste, zelfstandige vrouwen, die in mooie, sexy outfits rondlopen zonder dat een vader, vriend of man hen dit verbiedt. Vrouwen
die een eigen auto hebben, een baan in een winkel of op kantoor.
Vrouwen die een mening hebben en zonodig in discussie gaan met
anderen, ook als dit mannen zijn. Vrouwen waarnaar geluisterd
wordt, die net zo serieus worden genomen als mannen. Vrouwen die
hun eigen dromen hebben en hun eigen plannen trekken. Dat deze
plannen onder andere het nastreven van een gelukkig huwelijk be-
helzen, is in dit geval bijzaak.

Volgens eigen zeggen leerde Gaya van de telenovelas dat mannen
en vrouwen eigenlijk gelijkwaardige wezens zijn, met recht op dezelfde behandeling. De gelijkwaardige en respectvolle houding van
de 'goede' mannen ten opzichte van vrouwen ('*Daar luistert een
man naar wat een vrouw vindt*') en de zelfstandige en zelfbewuste
houding van de vrouwen in de telenovelas doet de vrouwen in El Remate beseffen dat hun eigen situatie ook anders kan. Ze gebruiken dit
argument van gelijkheid nu soms in ruzies met hun man, wat aangeeft
dat ze zichzelf inderdaad meer rechten toedichten dan hun in de oor-

spronkelijke man-vrouwverhouding toegekend wordt. De telenovelas hebben dus wel degelijk een emanciperend effect op het bewustzijn van de vrouwen in El Remate. Zij tonen de vrouwen een andere mogelijke omgang tussen mannen en vrouwen, doen hen reflecteren op hun eigen situatie en 'leren' hen dat mannen en vrouwen gelijkwaardige wezens zijn en gelijk behandeld zouden moeten worden.

De vrouwen krijgen door de telenovelas niet alleen een ander idee over de omgang tussen mannen en vrouwen, maar ook een ander vrouwbeeld, een alternatief voorbeeld voor hun eigen identiteit en daarmee een grotere zelfwaardering. De zelfstandigheid van de vrouwelijke personages spreekt de vrouwen in El Remate aan. Gaya vertelde dat ze in een telenovela had gezien hoe een vrouw die zich ellendig voelde zichzelf voornam niet bij de pakken neer te gaan zitten. Ze beurde zichzelf op door zich mooi aan te kleden en op te maken. In Gaya's ogen nam de vrouw zo het heft in eigen handen. Ze vertelde me later dat deze scène haar had doen realiseren dat zij zichzelf ook zou kunnen oppeppen wanneer ze zich ellendig voelde. Gaya was duidelijk onder de indruk van de manier waarop en overtuiging waarmee de vrouw haar situatie in eigen handen nam en probeerde te verbeteren. Maar niet alleen dat, ze betrok deze actie op zichzelf en beschouwde de actie als een voorbeeld voor haar eigen leven.

Een groot deel van de tijd accepteren de vrouwen de huidige rolverdeling tussen mannen en vrouwen als een feit, een gegeven, een normaal onderdeel van hun leven, zonder hier al te veel over na te denken. Ze zijn met allerlei andere, dagelijkse, zaken bezig. Geregeld komen er echter frustraties omhoog over een bazige echtgenoot die geen toestemming geeft voor een bezoekje, over een dronken en opgefokte man die midden in de nacht eten wenst, over al het huishoudelijke werk dat een vrouw moet zien te verrichten terwijl haar man zich buitenshuis aan het vermaken is met het geld dat zij hiervoor nodig heeft. Op zulke momenten van frustratie bieden telenovelas met hun romantische afbeelding van liefde en gelijkwaardigheid een aantrekkelijk alternatief. Ze tonen hoe het ook zou kunnen zijn. Vrouwen horen een boodschap die ze graag willen horen: "Hoe jouw man jou behandelt is niet juist." De vanzelfsprekendheid waarmee de vrouwen hun ondergeschiktheid aan mannen accepteerden, voor normaal, logisch en juist aannamen, begint onder invloed van de televisie af te nemen.

Door de televisie leren de dorpsvrouwen andere mogelijke leefstijlen kennen. Bepaalde elementen hieruit sluiten aan bij een al bestaand en veelgebruikt discours van de vrouwen, namelijk een van onvrede over de manier waarop zij door hun man behandeld worden. In de telenovelas vinden de vrouwen bevestiging en een aantrekkelijk alternatief. Er treedt bij de vrouwen een bewustzijnsverandering op, ze 'leren' namelijk dat mannen en vrouwen gelijkwaardige wezens zijn en dus gelijke rechten hebben en dat vrouwen net zoveel in hun mars hebben als mannen. Dit is de boodschap die de vrouwen uit El Remate aanspreekt, dit is de boodschap die ze oppikken.

Nieuwe denkbeelden en de dagelijkse realiteit

Het kijken van telenovelas biedt de vrouwen een besef van andere mogelijkheden. Ze zien dat de personages liefdevolle, gelijkwaardige relaties nastreven en geven in hun eigen leven ook blijk van een verlangen hiernaar. Echter, in de praktijk verandert er nog weinig aan de ondergeschikte positie van de vrouwen. Ze voelen zich meestal niet in een positie om het geboden en opgevangen alternatief van gelijkwaardigheid binnen hun eigen leven te bevechten. Juist door de ongelijke verhouding met hun man, mede gecreëerd en in stand gehouden door hun afhankelijke economische situatie, hebben de vrouwen weinig ruimte om een discussie met hun man aan te gaan en te onderhandelen. Hun sporadische geklaag wordt door hun echtgenoot weinig serieus genomen, en dit is precies één van de dingen die de vrouwen dwars zit en volgens hen in de relaties op tv veel beter is. Gaya vertelde eens: *"Ik zie op tv dat een man zijn vrouw meeneemt op uitstapjes, zorgzaam en lief is, ook tegen de kinderen. En dan zeg ik tegen Salvador dat hij nooit zo doet, en dan zegt hij 'zoek maar een andere man als je er zo één wilt'!"*

Door hun economisch afhankelijke, sociaal zwakke positie kunnen en willen vrouwen zich niet veroorloven hun man van hen weg te drijven door te veel of te hard eisen aan hem te stellen. Daarnaast speelt, zoals gezegd, gewoonte ook een grote rol bij het uitblijven van discussies. Zowel mannen als vrouwen zijn opgegroeid en opgevoed met een bepaalde verhouding tussen de seksen, een duidelijke verdeling van taken en plichten.

Door mannen wordt ook geregeld gekeken naar de telenovelas op televisie. Salvador beweert dat vrouwen in het algemeen meer de neiging krijgen te willen 'sturen' doordat ze op tv '*huizen zien waar de vrouw de baas is*'. Hij vindt dit niet positief en dreigde soms de televisie weg te doen als Gaya '*te veel zou leren*', ofwel zich te opstandig of zelfstandig zou gaan gedragen. Als Gaya hem nu vroeg iets te doen, was hij extra streng en antwoordde slechts dat ze het niet in haar hoofd moest halen te proberen hem te 'sturen'. Echtgenoten zitten dus niet te wachten op de nieuwe, emanciperende boodschappen en wijzen hun vrouw extra hard op haar traditionele plaats. Ze accepteren geen discussie en laten hun vrouwen weinig ruimte hun positie te verbeteren.

De toekomstige mannen worden opgevoed door de moeders van nu. Deze vrouwen hebben het lot van de volgende generaties voor een deel in eigen handen. De moeders in El Remate lijken echter niet te geloven dat zij enige invloed kunnen uitoefenen op hun zoontjes. De wil van elke man, hoe jong ook, is te sterk om door een vrouw gestuurd te worden, menen ze. Toen ik er eens getuige van was dat een klein jongetje zijn moeder met steentjes bekogelde, zei deze slechts: "*Ai, que abusivo! Tja, zo zijn Guatemalteekse mannen nu eenmaal, hè?*" Geen reprimande, zelfs geen verzoek zijn uitdagende gedrag te stoppen, de steentjes bleven komen terwijl wij ons gesprek voortzetten. Nu is het niet zo dat jongetjes nooit gestraft worden, bij hoge uitzondering krijgen ze een slag met de riem, maar moeders accepteren wel veel van hun zonen en voegen zich meestal snel naar hun wensen. '*Tortilla's!*', '*Koffie!*', commanderen jonge jongetjes hun moeder. Gaya moest niet alleen elke avond de voeten van haar man masseren, maar ook net zo lang over de rug van haar jongste zoon van drie jaar krabben totdat hij in slaap was gevallen, '*an-ders wordt hij boos*'. Ik verwacht dat hij dit later ook van zijn vrouw zal eisen, hij is niet anders gewend. Toen Dominica zwanger was en ik vroeg of ze hoopte op een zoon of dochter, zei ze een meisje te prefereren, '*want jongetjes kun je niet opvoeden, hè*'. De vrouwen beschouwen zichzelf vaak als slachtoffer van de situatie, ze hebben slechts te accepteren, ook al willen ze het misschien anders.

Toch zal de toekomst van de huidige jeugd in El Remate er zeer waarschijnlijk anders uitzien dan het leven van de vrouwen met wie ik veel sprak. Het kijken naar televisie heeft er bij de jeugd bijvoorbeeld voor gezorgd dat zij beter op de hoogte zijn van seks en de mogelijke gevolgen daarvan. Eliza klaagde: "*Jonge kinderen weten nu al precies wat een man en een vrouw samen doen en hoe het komt dat een vrouw zwanger raakt. Hun ziel wordt te vroeg wijs.*" Maar, gaf ze toe, haar eigen onwetende situatie was eigenlijk ook verre van perfect. Het taboe dat vrouwen vroeger weerhield dochters of andere onwetenden in te lichten over seks en de gevolgen daarvan, lijkt steeds meer af te nemen. Gaya mopperde op haar zestienjarige, zwangere schoonzusje: "*Zo dom! Kijk, ik wist van niks* [toen ze op jonge leeftijd zwanger raakte], *maar zij wel! Ik heb het haar zelf verteld: 'Blijf bij jongens uit de buurt, want je bent zo zwanger!'*" De televisie heeft laten zien dat liefde en seks normale aspecten van het leven zijn. De vroeger zo schaamtevolle onderwerpen zijn bespreekbaar geworden. Ook Mercedes bevestigde dat zij haar dochters had ingelicht over menstruatie, seks en zwangerschap. Ze wil absoluut voorkomen dat haar dochters in dezelfde val lopen als zij.

De boodschap van genderemancipatie die de vrouwen in de telenovelas zien, komt overeen met de boodschap die de overheid ook steeds meer uitdraagt. Deze boodschap blijkt bijvoorbeeld uit het redelijk recent ingevoerde kiesrecht voor vrouwen, justitiële steun voor de vrouw als zij wil scheiden, wetten tegen vrouwenmishandeling en schoolplicht voor zowel jongens als meisjes. Van verschillende kanten worden de vrouwen, maar ook de mannen, dus geconfronteerd met een soortgelijke boodschap, wat de aannemelijkheid van een dergelijke boodschap en de kans op sociale verandering zeker vergroot.

Gaya's daad

Op een dag vertelde één van de vrouwen uit het dorp dat ze in een restaurant mannen over mij had horen spreken. Ik schrok. Ze hadden gezegd dat ik 'vrouwen aan het bevrijden was' en hadden haar naar mij gevraagd. Ze had geantwoord dat ze daar niets over wist, dat ze alleen maar wist dat ik een goed persoon was – dit meisje kwam regelmatig bij mij langs als ze thuis problemen had om haar verhalen te spuien. De mening van de mannen in het restaurant baarde mij zorgen, want het leek me niet bevorderlijk voor mijn onderzoek als de echtgenoten van mijn contactpersonen zouden denken dat ik hun vrouwen kwam 'bevrijden'. Ondanks dit gerucht zijn de echtgenoten echter altijd vriendelijk en toegeeflijk gebleven. Soms nodigden zij me zelfs uit om in hun huis te komen eten of ergens mee naar toe te gaan met hen en hun gezin.

Ik weet niet hoe dit gerucht is ontstaan, naar mijn idee deed ik niet meer dan luchtig praten met de vrouwen. Het lijkt me echter onvermijdelijk dat mijn (redelijk geëmancipeerde) mening en mijn (tevens redelijk geëmancipeerde) culturele normen en waarden regelmatig tot uiting kwamen in de gesprekken die ik had met de verschillende vrouwen. Gaya vond bijvoorbeeld dat haar man haar slecht behandelde en ik was het daar mee eens. Hoewel ik zijn dominante gedrag gaandeweg beter ben gaan begrijpen ('zo gaat een man nu eenmaal met zijn vrouw om', met dit voorbeeld is hij opgegroeid, de mannen lijken te denken dat vrouwen respect verliezen en volledig losslaan als ze niet flink in toom worden gehouden, en ik moet toegeven dat ik hier, als een *self-fulfilling prophecy,* inderdaad voorbeelden van heb gezien), bleef ik het onaanvaardbaar vinden dat hij haar met stokken sloeg, of haar dwong om hele nachten op haar knieën te zitten. Ik heb Gaya slechts bevestigd in haar woede over en afkeuring van dit gedrag. Ik luisterde naar haar klaagzangen en haar tirades en probeerde haar te troosten. Ik vertelde soms over eigen ervaringen, over hoe mannen en vrouwen in Nederland met elkaar omgaan. Ik vertelde dan bijvoorbeeld dat ik mijn vriendje nog nooit toestemming had gevraagd om ergens heen te gaan, iets wat Gaya wel altijd moest doen. Al tijdens het eerste praatje dat ik maakte met Gaya gaf ze me te kennen dat ze erg ongelukkig was met haar man. Maar er zat niets anders op dan zijn gedrag te verdragen, voegde ze eraan toe. Ik verbaasde me over deze passieve houding, maar nooit ben ik hier actief tegen ingegaan. Ik kwam om onderzoek te doen, om te kijken hoe het leven van de vrouwen in El Remate is, dus ik noteerde wat ik zag, maar probeerde het niet te veranderen. Tenminste, niet bewust.

Echter, mijn hele wezen op zich droeg al een geëmancipeerde boodschap uit, namelijk het feit dat een vrouw er bewust voor kan kiezen nog geen kinderen te krijgen, een opleiding te volgen en alleen te reizen. Mijn aanwezigheid confronteerde de vrouwen met wie ik sprak in levende lijve met 'het vrije leven'. Regelmatig verzuchtte één van hen hoe mooi het leven wel niet moet zijn 'als je vrij bent'. Hiermee bedoelden ze 'zonder man en zonder kinderen'. Je kunt doen wat je zelf wilt, bijvoorbeeld andere plekken leren kennen, zoals ik, zeiden ze dan, dat zouden zijzelf ook wel willen.

Na terugkomst in Nederland sprak ik Eliza door de dorpstelefoon. Ze bracht me het opzienbarende nieuws dat Gaya vlak na mijn vertrek met haar vier kinderen uit El Remate was verdwenen. Ik was sprakeloos.

Dus toch, Gaya heeft dus tóch gedurfd het heft in eigen handen te nemen. Haar moeder had haar steeds geadviseerd Salvador meer te verwennen, om zo haar eigen leven te redden. Zelf had ze vaak verzucht dat ze het allemaal maar moest verdragen. Maar Gaya heeft uiteindelijk dus toch besloten niet meer af te wachten tot het moment dat Salvador eens aardiger tegen haar zou gaan doen.

Ik was er nota bene zelf bij geweest toen Gaya haar vluchtplan uitdacht en vorm gaf, ik was haar klankbord, haar steun en toeverlaat. Maar ik geloofde, heel eerlijk gezegd, niet dat ze het plan werkelijk zou durven uitvoeren. Ik verwachtte dat ze na mijn vertrek weer zou berusten in haar lot.

Toen ik samen met Gaya in de hoofdstad was voor haar maagonderzoek, verbleven we bij een ver familielid van Gaya. Deze vrouw, zelf in haar jongere dagen ook erg mishandeld door haar man, wist wel iemand die een huishoudster kon gebruiken, de kinderen konden daar ook inwonen. Gaya hield geld achter voor buskaartjes en toen Salvador op een dag naar zijn werk vertrok, verdween zij stiekem met haar kinderen naar Santa Elena, waar ze de bus pakten naar de hoofdstad. Ze had niemand uit het dorp over haar plannen verteld, zo kon niemand aan Salvador haar schuilplaats verklappen, zelfs al zou hij hen met de dood bedreigen.

Door met de kinderen spoorloos te verdwijnen, wilde Gaya haar man dwingen over zijn gedrag en hun relatie na te denken. Ze wilde hem laten inzien dat zijn respectloze behandeling van haar niet meer toelaatbaar was. Ze had een briefje achtergelaten waarop ze hem te kennen gaf dat ze bereid was terug te keren als hij zou stoppen met zijn drugsgebruik, beloofde niet meer te slaan en haar en de kinderen in het algemeen beter zou behandelen.

Op die ene week dat ze met mij in de hoofdstad was na, had Gaya nog nooit de omgeving van El Remate verlaten. Nu bevond ze zich aan de ander kant van het land, tussen alleen maar vreemdelingen. Na een maand hield ze het niet meer uit. *"Ik dacht dat ik niet van hem hield"*, schreef ze me, *"maar na een maand en drie dagen miste ik hem toch erg. Ik houd wel van hem, maar niet van zijn boosheid."* Ze heeft Salvador opgebeld, hij beloofde beterschap en stuurde geld zodat ze met de bus terug kon komen. De laatste berichten die ik van Gaya ontving, zijn positief. Salvador is inderdaad gestopt met de drugs, heeft haar en de kinderen niet meer geslagen. Hij heeft zelfs een koelkast voor Gaya gekocht.

De mannen uit het restaurant hebben achteraf gezien misschien dus toch een beetje gelijk gekregen. Maar in mijn eentje had ik zulke heftige beslissingen en veranderingen nooit kunnen veroorzaken. De geëmancipeerde boodschap die ik, deels onopzettelijk, uitdroeg, kwam overeen met boodschappen die de vrouwen in El Remate van verschillende kanten bereikten. Met name de telenovelas, die door de dorpsvrouwen worden verkozen boven elke andere mogelijke vorm van contact met de wereld buiten het dorp, blijken in sterke mate bij te dragen aan een afname van de vanzelfsprekendheid van de ondergeschikte en minderwaardige positie van vrouwen.

Bibliografie

Abu-Lughod, L.

1995   'The objects of soap opera: Egyptian television and the cultural poli-
        tics of modernity.' In: D. Miller (ed.) *Worlds Apart: Modernity
        through the prism of the local*. London: Routledge.

Gallagher, M.

1995   'Lipstick imperialism and the New World Order: Women and media
        at the close of the twentieth century.' Voordracht voor de "Division
        for the Advancement of Women, Department for Policy Coordination
        and Sustainable Development", United Nations. *Internet*:
        www.un.org/documents/ecosoc/cn6/1996/media/gallagh.htm
        [geraadpleegd op 13 okt 2003]

Liebes, T. & Katz, E.

1986   'Patterns of involvement in television fiction: A comparative analysis.'
        European Journal of Communication, (1), 151-171.

1990   *The export of meaning: Cross-cultural readings of "Dallas"*. New
        York: Oxford University Press.

McCarthy, A.

2001   *Ambient television: Visual culture and public space*. Durham &
        London: Duke University Press.

McNabb, V.

1998   'Women's role in Guatemala's political opening.' In: Central American
        Analysis Group (CAG). *In Focus*, Vol. I, Ed. 11. Guatemala City, Guate-
        mala.

Pace, R.

1993   'First-time televiewing in Amazonia: TV acculturation in Gurupa, Bra-
        zil.' *Ethnology*, 22 (2), 187-206.

Park, J.

2003   *New ways of loving: how authenticity transforms relationships*.
        Minneapolis: Existential Books.

Spronk, R.

2002 'Looking at love: Hollywood romance and shifting notions of gender and relating in Nairobi. *Etnofoor* 15 (1): 229-239.

Sreberny-Mohammadi, A.

2000 'The global and the local in international communications.' In: J. Curran & M. Gurevitch (eds.): *Mass media and society.* London: Edward Arnold.

Tufte, T.

2000 *Living with the Rubbish Queen: Telenovelas, culture and modernity in Brazil.* Luton: University of Luton Press.

Vink, N.

1988 *The telenovela and emancipation: A study on television and social change in Brazil.* Amsterdam: Royal Tropical Institute.

Dankwoord

GRACIAS

Met oneindig veel dank aan Liduvina del Rosario Morales Monzón, Chayo, Elba Aide Hernandez, Maria del Rosario Mateo Hernandez, Oralia, Trinidad Melendez Amador, Rode Emideli Gonzales Amador en Angelica Morales Monzón voor het enthousiasme waarmee ze mij deelgenoot hebben gemaakt van hun leven, voor hun warme gastvrijheid, hartelijkheid en openheid. Ik hoop dat onze vriendschap blijft voortbestaan, en dat ons weerzien niet lang op zich zal laten wachten ...

Tevens veel dank aan Mattijs van de Port, zonder wiens betrokken begeleiding ik het werkelijk niet voor elkaar had gekregen om de chaos van mijn ervaringen te ordenen tot dit verhaal.